Marguerite Russo

Guide-astuces pour réussir Noël

EDITIONS
MORISSET

© Editions MORISSET, novembre 1995
12, avenue de Corbéra - 75012 PARIS

Editions MORISSET (CANADA)
674, place Publique, bureau 200
LAVAL QUEBEC H7X1G1

ISBN 2-909509-52-4

Maquette : Schnepp Agence
Illustrations : Franck Basset
Photo couverture : PIX/Bavaria
Photogravure couverture : Minerve
Imprimerie : Jouve - Paris

A ma mère, à mon père

LEGENDE DES ICONES

 A préparer à l'avance

 Rapide

 Peut servir pour le Nouvel An

 Réalisable avec les enfants

 Assez facile

Sommaire

Introduction

Noël ! Noël ! C'est la grande fête des enfants ! Une fête que les adultes organisent pour eux, en redevenant un peu enfant à leur tour. C'est la fête qu'il suffit d'évoquer pour que se projettent en nous des images de bonheur, de cadeaux ouverts au pied du sapin, dans la joie, le rayonnement de tous. C'est le moment attendu par les enfants avec une impatience enjouée. Ils posent mille questions sur le passage du père Noël. C'est une histoire de partage au sein des familles réunies ou entre amis.

Noël c'est LE rendez-vous, celui que personne ne souhaite manquer, quitte à prendre la route pour quelques centaines de kilomètres, même sous la neige.

Ce rendez-vous, il faut l'organiser et bien longtemps à l'avance, car pour que la fête soit belle, il faut lui donner un décor somptueux ! Voici ce que ce livre vous propose et c'est sa raison d'être : vous rendre service à un moment essentiel de l'année, la fête de Noël. Il a été réalisé de manière à vous guider dans votre préparation de la plus magnifique fête de Noël possible ! Il sera là pour vous aider à vous organiser au mieux ; quand, comment, faire les courses ? Quelles recettes géniales faut-il préparer ? Quels produits choisir ? Comment préférer un foie gras à un autre, pourquoi ce homard et pas celui-là ? Quel sapin acheter et pourquoi ? Artificiel ou naturel ? Cher, pas cher ? Coupé ? Ou en pot bien vivant ? Et comment décorer ce sapin pour qu'il soit magique ? Et la crèche ? Et la maison, que faire pour lui donner un air de fête ? Et la table et les plats ? Et quelles fabuleuses histoires conter aux enfants ? Quelles joyeuses chansons fredonner ensemble ? Et les cadeaux comment les emballer pour qu'ils soient des cadeaux avant même d'être ouverts ?

Toutes les réponses à ces questions et tant d'autres... vous les trouverez dans ce guide où nous avons réuni une foule d'astuces simples, souvent très rapidement mises en œuvre à peu de frais. Nous avons fait en sorte qu'à chaque page, une idée en entraînant une autre, votre imagination soit à l'œuvre et puisse rebondir sur les trucs proposés. C'est votre fête de Noël et il est essentiel que vous la réussissiez pour que vos enfants s'en souviennent quand ils seront grands. Avec ce guide plein d'idées, de contes et de culture... nous en sommes sûrs, c'est gagné d'avance.

Alors nous vous souhaitons un très très joyeux Noël ! Un inoubliable Noël !

1

Aux sources de Noël

La question religieuse

Noël ! la vie, la renaissance, l'enfance ! Noël, depuis des générations paraît être une fête d'éternité, une fête de toujours. Noël est d'ailleurs célébré depuis si longtemps que cette impression n'est pas loin de la vérité.

L'ETYMOLOGIE

Le mot Noël vient d'un français parlé autrefois dans le nord de la France, tandis qu'ailleurs, en Charente par exemple, on disait "nô". Dans l'Aveyron comme en Catalogne, Noël, c'était «nadal», dans le Dauphiné c'était «chalende» et en Provence «calendo».

OU ET QUAND

D'après la tradition adoptée par l'église, le Christ serait né à Bethléem un 24 décembre à minuit. De cela, en vérité, il n'y a guère de preuves. Il reste donc beaucoup de place pour les spéculations humaines quant à la situation dans le temps de cet évé nement, sur lequel se fonde notre appréhension de l'histoire : nous sommes en l'an 1995 après Jésus-Christ !

Aussi est-ce la plus haute autorité de l'église sur terre (c'était alors le Pape Libère, Pape de 352 à 366), qui décida quel serait le jour de la naissance du Christ, célébré comme tel par tous les chrétiens de ce monde depuis lors. Cette date n'est donc fondée sur aucune donnée historique et s'inscrit plutôt comme un choix qui, du reste, n'est sûrement pas aussi arbitraire qu'il pourrait en avoir l'air comme nous le verrons. Les évangiles eux-mêmes sont contradictoires au sujet des lieux et place dans le temps de la naissance du Christ. En effet, d'après Matthieu et Luc, Jésus est bien né à Bethléem. Leurs dires sont confirmés par la prophétie de Michée, et par l'origine du Christ qui est un descendant du roi David. Mais le recensement auquel la légende rattache le voyage de Marie et Joseph dans cette ville est postérieur de plusieurs années à la naissance de Jésus... D'ailleurs, pour Marc et Jean il serait né à Nazareth. C'est aussi ce qu'admettait Renan, mais à partir d'une erreur de traduction : Jésus était dit le Nazaréen, or l'interprétation de Nazaréen comme l'homme de Nazareth s'avère inexacte, il faut en réalité traduire "saint de Dieu". Quant au jour de la naissance du Christ, il n'est pas moins incertain à 15 ans près, ce qui, pour une vie de 33 années, n'est pas négligeable. Ces incertitudes ont une explication assez simple, mais insuffisante ; dans la liturgie chrétienne, la seule date importante était celle de la mort.

Il faut aussi se rappeler que la nativité ne fut pas toujours célébrée le même jour. Ainsi à l'aube de la chrétienté, Noël était fêté le jour de l'Epiphanie, le 6 janvier, en particulier en Orient. C'est une habitude que l'Arménie a gardée et qui confond en une même fête l'adoration des bergers et des mages et la venue au monde du Christ sauveur. Dans le milieu du 4ème siècle, le Pape Libère reporte donc cette date au 25 décembre parce que c'est le moment du solstice d'hiver, renaissance annuelle de l'astre solaire auquel le Christ est souvent assimilé.

CONCURRENCE

Il faut aussi signaler le symbolisme attaché à cette date, d'une importance cruciale pour les peuples agraires[1] dont nous sommes tous issus et à laquelle étaient célébrées, depuis déjà longtemps, d'autres fêtes d'origine païenne, comme la fête du dieu solaire Mithra ou les saturnales romaines. Pour affirmer sa nouvelle prééminence, l'église chrétienne avait tout intérêt à installer, elle aussi, une fête au même moment. Les religions, on le voit encore aujourd'hui, n'hésitent pas à adopter une attitude stratégique comparable à celle des états nationaux.

---

1 A cause de la renaissance du soleil, promesse de récoltes fructueuses.

La fête en elle-même

La fête de Noël célébrée pour la première fois au 4ème siècle, n'a fait l'objet d'une messe qu'au 5ème siècle. Mais au 4ème siècle, à la naissance de Byzance, l'empereur Constantin fit édifier une basilique au dit emplacement de la grotte [2] où la Vierge, ne trouvant place ni dans une auberge ni dans un caravansérail [3], se serait réfugiée pour mettre au monde le petit Jésus. Saint Jérôme mentionne cette église qui devint un lieu de pèlerinage lorsque sainte Hélène la dota d'une crèche d'argent.

Mais ne partez pas en pèlerinage, l'église n'existe plus sous sa forme originale car elle fut reconstruite au 6ème siècle par l'empereur Justinien.

Si une grande importance était accordée à la fête de Noël à Byzance, la fête la plus vénérable selon saint Jean Chrysostome. Rome n'était pas en reste et célébrait trois messes ce jour là ; une de nuit, une à l'aurore et la troisième dans la journée.

Saint Thomas d'Aquin dira plus tard dans sa Somme, si l'on célèbre trois messes le jour de Noël, c'est pour rappeler la triple naissance du Christ ; naissance éternelle dans le sein du père, invisible et caché, c'est la messe de nuit. Naissance de Jésus en tout croyant, c'est la messe de l'aurore. La troisième naissance, corporelle, célèbre la venue au monde physique du Christ, c'est l'incarnation qui le rend visible aussi la messe est-elle célébrée dans la pleine lumière du jour.

La nativité et ses personnages

LA VIERGE

Dans le monde byzantin, la nativité qui n'est détaillée que dans les évangiles apocryphes, était d'abord représentée par un accouchement. Celui-ci, selon des sources qui remontent aux Grecs, était facilité si la femme se tenait à genoux, ce qui contribue à expliquer l'évolution de la représentation de la nativité telle que nous la connaissons aujourd'hui - autrefois comme sur un relief de Notre Dame à Chartres - la Vierge était représentée allongée

---

2 Dans le texte original, spéos, signifie grotte
3 Les caravansérails étaient en quelque sorte des gîtes-étape comme on en trouve sur nos autoroutes aujourd'hui.

dans un lit. La Vierge, agenouillée en adoration devant l'enfant Jésus, serait ainsi dans une attitude plus proche qu'on ne le pense de celle de l'accouchement.

LES SAGES-FEMMES

Il existe à leur propos deux versions parmi lesquelles vous pourrez choisir la votre. Pour les uns, la Vierge aurait souffert et enfanté dans la douleur selon une tradition bien chrétienne. Pour les autres, elle aurait eu le privilège de ne point souffrir. Pour des raisons évidentes, c'est la version sans douleur qui fut retenue. Ces différences de conception se répercutent sur l'iconographie, ainsi dans votre crèche, vous devrez placer des sages-femmes si vous pensez que la Vierge mit au monde son enfant dans la douleur [1]. Mais au contraire, si vous considérez qu'elle n'a pu qu'être épargnée par Dieu, votre crèche montrera la Vierge agenouillée les mains jointes devant l'enfant sans la moindre sage-femme.

LE BŒUF ET L'ANE

Leur présence, comme c'est souvent le cas, se fonde sur une erreur de traduction qui ensuite prend corps à travers l'imagination des différentes interprétations et des nombreux commentaires. Louis Réau souligne ainsi le contresens fait à la lecture du prophète Habacuc dont la phrase : " Accomplis ton œuvre dans le cours des années " avait été traduite " Tu te manifesteras entre deux animaux ". Ensuite il fallut justifier la présence des deux bêtes introduites par cette mauvaise traduction, aussi a-t-on pensé que Joseph les avait amenées afin de se plier au recensement ordonné pour les hommes comme pour les animaux mais, comme nous l'avons vu, les dates ne concordent pas.
Evidemment, d'un point de vue purement symbolique, l'âne et le bœuf encadrant le Christ à sa naissance valent bien les deux larrons qui l'encadrent à sa mort. Mais à partir de ces erreurs de traductions, le pseudo Matthieu écrivit : " La Vierge plaça l'Enfant dans la crèche et le bœuf et l'âne l'adorèrent. Alors fut accompli ce qu'avait dit le prophète Isaïe : le bœuf et l'âne reconnurent leur maître. " Ensuite, l'iconographie se chargea de donner forme et pérennité à ce texte qui se traduit bien dans nos esprits par une image d'Epinal...

LES BERGERS

Seul Luc mentionne cet épisode : " Lorsque les anges eurent quitté les bergers pour le ciel, ceux-ci se disaient entre eux : " Allons

---

1 Voyez la nativité de Robert Campin (maître de Flémalle). 1420-30 Dijon, Musée des Beaux Arts.

jusqu'à Bethléem pour voir ce qui est arrivé, et ce que le Seigneur nous a fait connaître. " Ils se hâtèrent d'y aller, et ils découvrirent Marie et Joseph, avec le nouveau-né couché dans une mangeoire. Après l'avoir vu ils racontèrent ce qui leur avait été annoncé au sujet de cet enfant. Et tout le monde s'étonnait du récit des bergers. Marie, cependant, retenait tous ces événements et les méditait en son cœur. Les bergers repartirent ; ils glorifiaient et louaient Dieu pour tout ce qu'ils avaient entendu et vu selon ce qui leur avait été annoncé. " Luc 2,15-21.

LES ROIS MAGES

Le théâtre des mystères a aussi mis en scène cette tradition de riches personnages venus de loin. L'arrivée des rois mages devait constituer pour le chrétien du Moyen Age un moment de lumière et d'espoir. Arrivés d'un long voyage, les rois mages étaient tout indiqués comme protecteurs des voyageurs, avant de devenir ceux du domaine familial tout entier.

L'épisode des mages n'est mentionné que dans l'évangile de Matthieu (2, 1-12). Mais la réalité du récit est encore peu crédible. En effet, aucune précision ne renseigne sur l'identité des Mages, leur nombre, la date exacte de leur voyage. Comme toujours, le doute appelle les hypothèses les plus diverses dont la tradition a retenu deux exemples. Leur principale différence concerne la date d'arrivée des Mages auprès du Christ.

Et ces Mages, combien étaient-ils ? L'interprétation a fait accepter le nombre de trois, extrêmement symbolique, en considérant les trois cadeaux faits au Christ, l'or, l'encens et la myrrhe ; or, rien n'indique que trois protagonistes se trouvent derrière trois cadeaux. Cette tradition donna lieu à des types de représentation bien connus, les trois âges de l'homme puis les trois races.

L'hommage des rois au Christ fait de lui leur égal ou leur supérieur et symbolise la fusion des pouvoirs temporels et intemporels, religieux et laïque. Depuis le 14ème siècle, la fête des rois mages se tient le 6 janvier au moment de l'Epiphanie et se célèbre autour de la galette des Rois truffée d'une seule fève qui désignera l'élu(e), le roi ou la reine d'un jour qui ensuite choisit sa parèdre. Jeu de pouvoir, ici est mis l'accent sur le pouvoir comme symbole, le pouvoir éphémère vite perdu, dérisoire.

Mais l'arrivée des rois mages, c'est aussi l'expression de la générosité, du partage et du don. Dans certaines familles, la distribution des cadeaux se fait encore au moment de l'Epiphanie.

On le devine, les rois mages sont vite devenus très populaires, mais leurs noms manquaient ; aussi au 9ème siècle, vit-on apparaître Balthazar, le roi noir, représentant généralement le continent africain, puis Gaspard et Melchior pour les deux autres continents connus au Moyen Age à savoir, l'Asie et L'Europe, bien que Matthieu situe le départ des mages en Orient. A la découverte de l'Amérique, l'église n'a pas souhaité ajouter de roi Mage. Il est possible que cette indifférence ait stimulé la créativité des chrétiens américains qui auraient inventé leur roi Mage, le Père Noël !

Who's who ?

LE PERE NOEL

Pour les uns "Santa Claus", traduction américaine de saint Nicolas, est l'identité du Père Noël qui en révèle le mieux l'origine. D'après Michel Coindoz, docteur en sciences humaines qui s'est penché sur le problème, le Père Noël serait né le 25 décembre 1822 lorsque Clément Clarke Moore écrivit "La visite de saint Nicolas" dans laquelle il conte la rencontre entre saint Nicolas et un petit enfant. Mais le saint Nicolas de Moore est loin des traditions qui s'y rapportent. La légende qui place en Espagne la retraite de saint Nicolas s'accorde mal avec ce personnage venu de lointaines régions froides.

D'autres idées circulent sur l'origine du Père Noël, dont l'une repose sur l'hypothèse qu'il existe sûrement un quatrième roi Mage, un roi de Russie. C'est en tous cas ce que nous avons bien envie de croire à la lecture de Michel Tournier, qui évoque ce roi, parti des steppes russes, couvertes de neige. Un roi parti riche, mais si généreux que d'obole en obole, il arriva bien trop tard, là où il devait se rendre, et bien pauvre... un roi portant barbe blanche très longue, vêtements rouges prudemment doublés de fourrure blanche, pour affronter toutes les rigueurs de l'hiver russe, un roi avec sur son dos une hotte pleine à craquer et tant d'autres dans son traîneau... un roi, le père Noël. Il nous fait tant rêver que pareil luxe d'identité semble lui aller à merveille ! Son nom se traduit dans de nombreuses langues, mais dans tous les cas, il est le plus attendu de la fête, qu'il s'appelle Santa Claus, Father Christmas, Père Noël, Weihnachtsmann, babbo natale, où qu'il aille, il apporte des cadeaux et comble les enfants de bonheur !

Du Père Noël tout a été dit, tout et son contraire. De la diversité des interprétations, nous pourrions d'ailleurs tirer des conclusions. Le Père Noël, né d'un syncrétisme à l'autre, est un de ces personnages sans patrie, un homme universel, sans amis personnels, un solitaire mais pas un misanthrope, bien au contraire. Comment en serait-il autrement ? Le Père Noël c'est un homme dont rêvent les hommes, pas un dieu, bien qu'il habite parfois les cieux d'où il apparaît, porté par son traîneau attelé de rennes puissants aux bois généreux, le Père Noël, un homme dont rêvent les hommes, capable d'aimer tous les enfants du monde autant que les siens...

Les textes bibliques

L'évangile selon saint Matthieu

JOSEPH REÇOIT POUR MISSION D'ACCUEILLIR LE FILS DE MARIE

Et voici comment Jésus-Christ fut engendré. Marie, sa mère, était fiancée à Joseph : or, avant qu'ils eussent mené vie commune, elle se trouva enceinte par le fait de l'Esprit saint. Joseph, son époux, qui était un homme droit et ne voulait pas la dénoncer publiquement, résolut de la répudier sans bruit. Il avait formé ce dessein, quand l'Ange du Seigneur lui apparut en songe et lui dit : " *Joseph, fils de David, ne crains point de prendre chez toi Marie, ton épouse car ce qui a été engendré en elle vient de l'Esprit saint ; elle enfantera un fils, auquel tu donneras le nom de Jésus (c'est-à-dire "le seigneur sauve") : car c'est lui qui sauvera son peuple de ses péchés.* "

Or tout ceci advint pour accomplir cet oracle prophétique du Seigneur (Isaïe, 7, 1-4) : voici que la Vierge concevra et enfantera un fils, auquel on donnera le nom d'Emmanuel, nom qui se traduit : "*Dieu avec nous* ". Une fois réveillé, Joseph fit comme l'ange du Seigneur lui avait prescrit : il prit chez lui son épouse, mais il n'eut pas de rapport avec elle ; elle enfanta un fils, auquel il donna le nom de Jésus, roi des Juifs, reconnu par les païens et jalousé par Hérode.

LA VISITE DES MAGES

Jésus étant né à Bethléem de Judée, au temps du roi Hérode, voici que des mages venus d'Orient se présentèrent à Jérusalem et demandèrent : " *Où est le roi des Juifs qui vient de naître ? Nous avons vu, en effet, son astre se lever et sommes venus lui rendre hommage.* " Informé, le roi Hérode s'émut, et tout Jérusalem avec lui. Il assembla tous les grands prêtres avec les scribes du peuple, et s'enquit auprès d'eux du lieu où devait naître le Messie. " *A Bethléem en Judée, lui répondirent-ils ; car c'est ce qui est écrit par le prophète (Michee, 5, 1). Et toi, Bethléem, terre de Juda, tu n'es nullement le moindre des clans de Juda car de toi sortira un chef qui sera pasteur de mon peuple, Israël* ". Alors Hérode manda secrètement les mages, se fit préciser par eux la date de l'apparition de l'astre, et les dirigea sur Bethléem en disant : " *Allez vous renseigner exactement sur l'enfant ; et quand vous l'aurez trouvé, avisez-moi, afin que j'aille, moi aussi, lui rendre hommage.* " Sur ces paroles du roi, ils se mirent en route ; et voici que l'astre, qu'ils avaient vu à son lever, les devançait jusqu'à ce qu'il vînt s'arrêter au-dessus de l'endroit où était l'enfant. La vue de l'astre les remplit d'une très grande joie. Entrant alors dans le logis, ils virent l'enfant avec Marie sa mère, et, tombant à genoux, se prosternèrent devant lui ; puis, ouvrant leurs cassettes, ils lui offrirent en présent de l'or, de l'encens et de la myrrhe.

LE FILS DE DIEU EXILE EN EGYPTE

Après quoi, un songe les ayant avertis de ne point retourner chez Hérode, ils prirent une autre route pour rentrer dans leur pays. Après leur départ, l'Ange du Seigneur apparaît en songe à Joseph et lui dit : " *Lève-toi, prends l'enfant et sa mère, et fuis en Egypte ; et restes-y jusqu'à ce que je t'avertisse. Car Hérode va rechercher l'enfant pour le faire périr.* " Joseph se leva, prit de nuit l'enfant et sa mère, et se retira en Égypte, où il demeura jusqu'à la mort d'Hérode. Ainsi devait s'accomplir cet oracle prophétique du Seigneur (Osée, 11, 1) : " *D'Égypte, j'ai appelé mon fils.* " Quand Hérode vit qu'il avait été joué par les mages, il fut pris d'une violente fureur et envoya tuer, dans Bethléem et tout son territoire, tous les enfants de moins de deux ans, d'après la date qu'il s'était fait préciser par les mages. Alors s'accomplit ce que le Seigneur avait dit par le prophète Jérémie : " *Un cri s'élève dans Rama, des pleurs et une longue plainte : c'est Rachel qui pleure ses enfants et ne veut pas qu'on la console car ils ne sont plus.* "

LE RETOUR D'EGYPTE

Quand Hérode eut cessé de vivre, l'Ange du Seigneur apparut en songe à Joseph, en Égypte, et lui dit : " *Lève-toi, prends l'enfant et sa mère, et reviens au pays d'Israël ; car ils sont morts, ceux qui en voulaient à la vie de l'enfant.* " Joseph se leva, prit l'enfant et sa mère, et rentra au pays d'Israël. Mais apprenant qu'Archélaüs régnait sur la Judée à la place d'Hérode son père, il craignit de s'y rendre ; sur un avis reçu en songe, il se retira dans la région de Galilée et vint s'établir dans une ville appelée Nazareth. Ainsi devait s'accomplir l'oracle des prophètes : on l'appellera Nazaréen. Matthieu (1, 18-25) (2, 1-23)

L'évangile selon saint Luc

Le sixième mois, l'ange Gabriel fut envoyé par Dieu dans une ville de Galilée, appelée Nazareth, à une vierge fiancée à un homme du nom de Joseph, de la maison de David ; et le nom de la vierge était Marie. Il entra chez elle et lui dit : " *Je te salue, Marie, pleine de grâce, le Seigneur est avec toi.* " A ces mots, elle fut bouleversée et elle se demandait ce que signifiait cette salutation. Mais l'ange lui dit : " *Rassure-toi, Marie ; car tu as trouvé grâce auprès de Dieu. Voici que tu concevras et enfanteras un fils, et tu lui donneras le nom de Jésus. Il sera grand, et on l'appellera le Fils du Très-Haut. Le Seigneur Dieu lui donnera le trône de David, son père ; il régnera sur la maison de Jacob à jamais, et son règne n'aura point de fin.* " Mais Marie dit à l'ange : " *Comment cela se fera-t-il, puisque je ne connais pas d'homme ?* " L'ange lui répondit : " *L'Esprit-saint viendra sur toi, et la puissance du Très-Haut te prendra sous son ombre ; aussi l'enfant, le saint enfant, sera-t-il appelé Fils de Dieu. Et voici qu'Elisabeth, ta parente, vient, elle aussi, de concevoir un fils en sa vieillesse, et elle en est à son sixième mois, elle qu'on appelait "femme stérile" ; car rien n'est impossible à Dieu.* " Marie dit alors : " *Je suis la servante du Seigneur ; qu'il m'advienne selon ta parole !* " Et l'ange la quitta. En ces jours-là, Marie partit et se rendit en hâte vers le haut pays dans une ville de Juda. Elle entra chez Zacharie et salua Elisabeth. Or, dès qu'Elisabeth eut entendu la salutation de Marie, l'enfant tressaillit dans son sein et Elisabeth fut remplie du saint-esprit. Alors, elle poussa un grand cri et dit : " *Tu es bénie entre les femmes, et béni le fruit de ton sein ! Et comment m'est-il donné que la mère de mon Seigneur vienne à moi ? Car, vois-tu, dès l'instant où j'ai entendu ta salutation, l'enfant a tressailli d'allégresse en mon sein. Oui, bienheureuse celle qui a cru en l'accomplissement de ce qui lui a été dit de la part du Seigneur !* " Marie dit alors : " *Mon âme exalte le Seigneur, et mon esprit tressaille de joie en Dieu. Mon Sauveur, parce qu'il a jeté les yeux sur la bassesse de sa servante. Oui, désormais toutes les générations se diront bienheureuses, car le Tout-puissant a fait pour moi de grandes choses. Saint est son nom, et sa miséricorde s'étend d'âge en âge sur ceux qui le craignent.* " En ces jours-là parut un édit de César-Auguste, ordonnant le recensement de toute la terre. Ce recensement, le premier, eut lieu pendant que Quirinius était gouverneur de Syrie. Et tous allaient se faire inscrire, chacun dans sa ville. Joseph, lui aussi, quittant la ville de Nazareth, en Galilée, monta en Judée, à la ville de David, appelé Bethléem - parce qu'il était de la maison et de la lignée de David - afin de s'y faire inscrire avec Marie, son épouse, qui était enceinte. Or, pendant qu'ils étaient là, le

temps où elle devait enfanter se trouva révolu. Elle mit au monde son fils premier-né, l'enveloppa de langes et le coucha dans une crèche, parce qu'il n'y avait pas de place pour eux à l'hôtellerie. Il y avait dans la contrée des bergers qui vivaient aux champs et qui la nuit veillaient à la garde de leur troupeau. L'ange du Seigneur leur apparut et la gloire du Seigneur les enveloppa de sa clarté ; et ils furent saisis d'une grande frayeur. Mais l'ange leur dit : " *Rassurez-vous, car voici que je vous annonce une grande joie, qui sera celle de tout le peuple : aujourd'hui, dans la cité de David, un Sauveur est né, qui est le Messie Seigneur. Et ceci vous servira de signe : vous trouverez un nouveau-né enveloppé de langes et couché dans une crèche.* " Et soudain se joignit à l'ange une troupe nombreuse de l'armée céleste, qui louait Dieu, en disant : " *Gloire à Dieu au plus haut des cieux, et paix sur la terre aux hommes qu'il aime* ". Lorsque les anges les eurent quittés pour le ciel, les bergers se dirent entre eux : " *Allons donc à Bethléem et voyons ce grand événement que le Seigneur nous a fait connaître.* " Ils vinrent donc en hâte et trouvèrent Marie, Joseph et le nouveau-né couché dans la crèche. Et l'ayant vu, ils firent connaître ce qui leur avait été dit de cet enfant ; et tous ceux qui les entendirent furent émerveillés de ce que leur racontaient les bergers. Quant à Marie, elle conservait avec soin tous ces souvenirs et les méditait en son cœur. Puis les bergers s'en retournèrent, glorifiant et louant Dieu pour tout ce qu'ils avaient vu et entendu, en accord avec ce qui leur avait été annoncé. Quand vint le huitième jour, où l'on devait circoncire l'enfant, on lui donna le nom de Jésus, nom qu'avait indiqué l'ange avant sa conception.
Luc (1, 26-50) (2, 1- 21).
S'il est important de connaître les origines d'une fête aussi symbolique que Noël, il n'est pas nécessaire, aujourd'hui, de croire en Dieu pour prendre part à la fête. Noël c'est avant tout une fête d'amour et de générosité, la religion n'en a pas le monopole. Noël c'est une fête de partage : quelles que soient leurs différences, hommes et femmes de toutes origines se retrouvent pour échanger, unis comme de vrais frères en dépit des conflits qui n'ont de cesse de déchirer les existences.

2
....

Les traditions de Noël

Traditions de France et de Navarre

Evoquer à l'occasion de la fête de Noël des traditions françaises et non la tradition française pourrait apparaître, aujourd'hui, comme tenir du fantasme et ressembler davantage à une recherche du temps perdu qu'à une véritable analyse de la réalité. Nous vivons, enfin, un temps de mondialisation de la culture que nous avons tort de souvent déplorer car c'est le gage d'une entente possible entre nous tous, imprégnés de différentes cultures, certes, mais humains et terriens cependant avant tout.

Dans les grandes lignes, la tradition de Noël en France, de Lille à Perpignan et de Brest à Lyon est aujourd'hui assez semblable. On y décore de part et d'autre des sapins fraîchement coupés aux pieds desquels les enfants et les adultes découvriront leurs cadeaux. On y déguste des dindes aux marrons et des bûches glacées, des huîtres et du foie gras, la diversité dans les menus ne tenant parfois qu'à une question de moyens ; les produits de luxe demeurent difficiles d'accès en raison de prix prohibitifs, mais là encore, un certain nivelage par le bas aplanit les différences. Si elle se fait au détriment de la qualité, elle permet toutefois au plus grand nombre d'accéder à l'inaccessible d'autrefois.

Le régionalisme d'antan était favorisé par la moindre efficacité des moyens de transport qui, de nos jours, permettent aux Américains de déguster le lendemain les huîtres arrivées aux ports de France la veille.

Malgré tout quelques différences subsistent, elles donnent aux fêtes de quelques régions une coloration distincte, particulière. C'est le cas en Provence, où forcément, les santons ont plus d'importance que partout ailleurs, même si cette tradition là s'est particulièrement bien exportée. Ces différences étaient autrefois beaucoup plus marquées, chaque région avait sa propre tradition de Noël, avec son menu typique, ses propres saveurs. Vous serez peut-être étonnés de découvrir la place de choix réservée au porc dans les menus de Noël d'autrefois, en France. Mais il vous faudra alors songer aux romains de l'antiquité qui appréciaient particulièrement le porc jusque dans ses parties les plus intimes. Ainsi, d'après Maguelonne Toussaint-Samat, les nobles de la Rome antique se régalaient-ils avec les vulves et les tétines de truies...

Noël dans le Loiret

Du côté d'Orléans, la vedette allait autrefois au porc, sans négliger le moindre morceau, cuisiné sous toutes ses formes et à toutes les sauces. On trouvait sur la table de Noël, du boudin, des saucisses enveloppées dans de la crépine. Le tout était consommé au retour de la messe de minuit.

Noël en Anjou

En Anjou, on tuait le porc qui, bien longtemps à l'avance, avait été destiné à cette fin royale. Vers la tombée de la nuit, les morceaux de l'animal étaient cuits dans une chaudière placée sur le feu de la cheminée. Le chef de famille arrosait alors la viande d'eau bénite en se signant puis il jetait trois poignées de sel dans la chaudière. La dégustation n'avait lieu qu'à l'aube.

Noël en Auvergne

Avant de commencer le repas maigre du 24, le père de famille allumait une bougie, se signait puis en soufflait la flamme avant de passer la bougie au fils aîné qui agissait de même en la passant éventuellement à sa femme qui la tendait au cadet, etc. jusqu'au plus jeune qui plaçait la bougie sans l'éteindre sur la brioche prête à être dégustée. Puis le repas commençait avec entre autres la traditionnelle soupe au fromage. Quand minuit arrivait, on rejoignait les autres membres du village pour aller à la messe. Le repas suivant était constitué de lait chaud, de saucisses fraîches et de produits variés de la ferme, arrosés de vin pétillant. Le 25 au matin, on allumait la chandelle qui la veille était passée de mains en mains.

Noël dans les Hautes-Alpes

Dans les Hautes-Alpes, le repas de Noël était l'occasion de manger les sazanes ou creusets, c'est-à-dire des soupes aux pâtés. Le chef de famille portait traditionnellement un toast à tous les siens d'un verre de vin plein auquel chacun trempait les lèvres. Tandis qu'à la fin du repas un toast était cette fois consacré aux absents.

Noël dans l'Armagnac

On ne perdait pas son temps durant la messe de minuit. En effet, la daube, constituée de morceaux de viande de bœuf cuits dans une sauce au vin rouge et aux condiments mijotait pendant que le curé accomplissait son office. La daube était servie avec des saucisses au retour de la messe. Pour le dessert, on dégustait des châtaignes grillées.

Noël dans le Gévaudan

Dans le Gévaudan, le menu comportait d'éternité des oreilles de porc et des saucisses, du fromage et du riz au lait, accompagnés de vin du Vivarais.

Noël dans le Pays de Caux

Le repas se résume à une fricassée d'oiseaux noirs accompagnés d'une boisson chaude appelée le "flippe", elle se compose d'un mélange de cidre-doux, d'eau-de-vie et de sucre réduit au feu.

Noël en Alsace

A la fin du Moyen Age, il existait des tournées de quêtes à caractère comminatoire (donc païennes) qui furent perçues d'un mauvais œil par l'église. Mais seule la tournée des écoliers se poursuivit jusqu'au 20ème siècle. La tradition de la bûche en Alsace ne prit jamais vraiment une place importante, on dit qu'en général les gens avaient coutume d'attiser le feu en y plaçant un peu de bois avant de partir à la messe pour trouver une maison chaude au retour.

LES PETITS PAINS DU SAPIN A L'ANIS ET A LA NOIX

Les "Springerle" sont avec d'autres petits gâteaux les premiers confectionnés en Alsace ; l'anis leur donne ce goût si typé, il est cultivé en France depuis le 19ème siècle, nous prêtons à cette épice des vertus apéritives et digestives. La forme de ces biscuits est découpée à l'aide de moules en bois sculptés. La blancheur de ces petits gâteaux à l'anis est du plus bel effet pour décorer le sapin, lui donnant un air candide que nos ancêtres aimaient déjà. La recette la plus ancienne comportait 10 g de noix muscade, vous pouvez donc, si vous désirez retrouver les saveurs d'antan, les rajouter à la recette nouvelle ci-après.

• INGRÉDIENTS (POUR 60 PETITS PAINS)
5 gros œufs (220 g)
500 g de sucre
1 cuillerée à soupe d'anis en grain
1 zeste d'un 1/2 citron non traité râpé
500 g de farine pour la pâte
50 g de farine pour rouler la pâte
10 g de noix muscade râpée (facultatif)

• LA PRÉPARATION
Mélangez à l'aide d'un batteur les œufs et le sucre. Battez une dizaine de minutes jusqu'à l'obtention d'une crème lisse, blanche et aérée. Incorporez l'anis et le zeste de citron. Ajoutez la farine tamisée. Pétrissez un peu. Couvrez, laissez reposer pendant 1 h au frais.
Disposez la pâte sur le plan de travail, pétrissez-la à nouveau en ajoutant une petite poignée de farine. La pâte doit rester un peu collante. Divisez en trois boules égales. Etalez en une épaisseur de 1 cm. Saupoudrez légèrement de farine jusqu'à ce que la pâte devienne très agréable au toucher. Saupoudrez un peu de farine dans les moules à Springerle puis posez ces moules sur la pâte en les pressant à l'aide d'un rouleau pour imprimer le décor dans la pâte. Lorsque toute l'abaisse de pâte est décorée, découpez le motif à l'aide d'un couteau ou d'une roulette de pâtissier crénelée.

• LA CUISSON
Placez ces gâteaux sur une tôle de cuisson. Il faut maintenant laissez reposer les Springerle 24 heures au sec dans une salle sans courant d'air et tempérée. Mettez dans un four moyen thermostat 6 (180°) pendant 20 minutes. Attention ne les posez pas dans la partie haute du four, ils perdraient leur blancheur légendaire. Laissez-les bien refroidir sur le papier de cuisson et détachez-les délicatement.

Noël en Bourgogne

La veille de Noël, les enfants de Bourgogne comme de bien des régions de France, allaient de maison en maison en chantant des chansons évoquant les rois mages, ils obtenaient des dons en argent ou en nature.

L'usage de la bûche de Noël y était fort répandu. On tenait même à ce que le feu brûle au moins toute le nuit de Noël afin que la Vierge puisse venir changer l'enfant et lui chauffer... sa bouillie. Comme en Lorraine, on faisait aussi un grand nettoyage de la maison afin qu'elle soit accueillante pour la Vierge. En revanche, le pain d'épice n'a pas été inventé en Bourgogne, mais en Chine par la somptueuse dynastie Tang. Le mi-king apparaît au 10ème siècle dans l'Empire du milieu, mais dans le duché de Bourgogne, seulement au 14ème siècle. Le pain d'épice est fait d'une bouillie au miel qu'on appelle la gaude. Quand elle est moulée puis recuite, la gaude devient le pain de gaulderye : le pain d'épice.

Noël en Corse

A Noël, Natale, l'appel du Rocchiu (un cri corse) réunissait les enfants et les hommes pour aller chercher du bois. Branches, racines et arbres étaient ensuite rassemblés sur la place de l'église afin de constituer le tas le plus gigantesque possible pour y mettre le feu et fêter dans la lumière la venue du divin enfant ! L'ardent bûcher brûlait au moins jusqu'au 1er janvier. Ensuite chaque famille prenait soin de récupérer un peu de cendre pour la placer dans son foyer. La maison était ainsi purifiée à l'abri de tout mauvais sort et des maladies. Les familles se réunissent dans la maison des grands-parents autour du fugone, une sorte de barbecue improvisé chaque année pour l'occasion et disposé au milieu de la pièce principale de la maison. Il parait qu'on y brûlait autant de grosses bûches qu'il y avait d'hommes dans la famille.

L'ambiance était toujours chaleureuse autour des flammes. Le cochon de lait ou un chevreau cuisait, embroché sur une solide branche de thym. Il ne faut pas oublier non plus les fabuleuses brochettes de merle parfumées aux myrtes sur leur lit de plantes aromatiques. Pour mettre un terme à la vendetta, le soir de Noël était l'occasion de faire la paix dans les différentes familles.

Comme en Bretagne, les morts n'étaient pas oubliés, la porte était laissée ouverte pour qu'ils puissent venir consommer le repas qu'on leur avait préparé. Bien entendu, il ne restait jamais rien le lendemain.

MANGEZ DE LA TERRINE DE MERLES, LA SPECIALITE DE L'ILE !

• LA PRÉPARATION

Employez des merles nourris de baies de myrtille ou de genièvre et gavés d'arbouse. Plumez et désossez les merles. Prenez du filet de porc, du foie de porc, de la panne et du lard. Pesez les merles et ajoutez, en parties égales, du foie, du filet, de la panne et du lard. Hachez le tout. Assaisonnez avec sel, poivre, épices, poudre de laurier, et de girofle. Laissez macérer 24 heures.

Garnissez le fond de la terrine de tranches minces de panne et remplissez de farce aux 3/4. Posez dessus un morceau de lard de la grosseur d'une pièce de 5 francs. Couvrez avec un couvercle qui doit être percé.

• LA CUISSON

Mettez à four chaud. Vérifiez que la cuisson est à point en enfonçant une aiguille dans la farce : il faut qu'elle ressorte nette.

Mettez à refroidir pendant 24 heures. A ce moment faites fondre de la panne fraîche et recouvrez largement avec cette panne fondue (1 cm). Plaquez avec un rond de papier blanc très propre, recouvrez et entourez soigneusement les bords de la terrine et du couvercle avec du papier gommé.

Noël dans le Languedoc

Dans l'Ariège, la veille de Noël, les enfants parcouraient les rues en frappant de porte en porte et en s'écriant : " Relheu, relheu - Se i a quicom de bon que sorte l'heu (si vous avez quelque chose de bon, sortez-le). " On leur offrait des gâteaux et des pommes. L'oie rôtie était de tradition au menu. Elle était servie avec une soupe aux choux dont la cuisson se terminait enfouie dans la cendre, avant la messe de minuit. On dégustait aussi des saucisses fraîches et du pâté de foie gras.

LA TERRINE DE FOIES DE DINDES OU DE POULARDES EN FOIES D'OIE FRAIS.

Pour les foies de dinde, évitez ceux qui ont une couleur foncée, rougeâtre et sont secs. Choisissez les foies blonds fermes mais onctueux sous le doigt, avec des lobes bien formés.

• LA PRÉPARATION

Mettez les foies entiers à macérer avec le vin, additionné de cognac. Les foies doivent être recouverts par le vin et la macération doit durer au moins 24 heures, puis plus de 48 heures au réfrigérateur. Lorsque cette macération est terminée, arrangez dans la terrine de terre (la terrine doit être munie d'un couvercle). Salez et poivrez légèrement à mesure en disposant les lobes de façon à former un bloc sans gros intervalles, quelques grains de poivre vert autour, ne remplir la terrine que jusqu'à 1 cm du bord. Il est absolument indispensable d'avoir de la place disponible sur les foies. Recouvrez juste de graisse d'oie fondue.

• LA CUISSON

Mettez au four chaud dans un plat à rôtir contenant de l'eau bouillante (thermostat 5) pendant 45 minutes. Au bout de ce temps, retirez du four. Ajoutez la graisse d'oie fondue très chaude pour remplir la terrine. Recouvrez hermétiquement avec une feuille d'aluminium. Posez le couvercle et remettez directement dans le four éteint mais encore chaud, pour cinq minutes. Défournez et laissez refroidir lentement. Laissez reposer au réfrigérateur au moins 24 heures avant de déguster.

Noël en Lorraine

" *Nuit claire de Noël*
Prépare peu de javelle 1 "
" *Noël humide*
Donne des greniers et tonneaux vides "
" *Si Noël vient dans la lune croissante, l'année sera bonne ;*
et d'autant que Noël sera près de la lune nouvelle, d'autant
il sera meilleur ; mais s'il vient au décroissant, l'année sera
rude, et tant plus proche sera du décroissant, tant pire
sera. "
S'il fait temps clair la nuit et le jour de Noël, la moisson
sera mauvaise. "

Autrefois en Lorraine, le 24 décembre était jour de grand nettoyage tant pour l'habitation que pour l'écurie ou l'étable. Le bétail n'était pas négligé, la litière était changée et plus épaisse qu'à l'accoutumée, une double portion de fourrage était distribuée aux animaux. A la nuit tombante, toute la famille et même les gens de maison mangeaient un peu de gâteau puis chacun s'habillait comme il l'eut fait un dimanche. Les hommes de la maison allaient ensuite chercher une belle bûche, celle-ci était parée de lierre puis bénite et enfin enflammée. La veillée se passait

---

1 Quantité de céréales coupés en un coup de faux

en chantant, en contant des histoires et en mangeant du gâteau, le con'hhé ainsi que des noix arrosés de vin de pays. Puis, on se rendait à l'église une demi-heure avant minuit. En rentrant de la messe, une jeune femme si elle était désireuse de se marier devait frapper trois coups à la porte du poulailler. Si le coq se manifestait, elle pouvait espérer se marier très prochainement. Le moment du repas était venu ; il était composé de viande de porc, jambon et boudin.

LA RECETTE DU PATE LORRAIN OU TOURTE LORRAINE

Cette tourte peut se confectionner avec de la viande de porc seul, ou avec un mélange viande de porc, viande de veau, ou poulet et lapin mélangés à la viande de porc, ou aussi avec de la chair de brochet. La pâte de soutien étant toujours de la pâte feuilletée, dont la recette aurait été inventée par Claude Gellée, dit plus tard le Lorrain, alors qu'il était apprenti pâtissier près de Toul. Cette recette se réalise uniquement avec du porc, mais libre à vous de pratiquer un des mélanges cités précédemment.

• LA PRÉPARATION
Coupez la viande en dés et faite la macérer dans le cognac auquel vous ajouterez sel, poivre, thym, laurier. Laissez macérer toute une nuit. Le lendemain, faites dorer rapidement la viande à la poêle avec un peu de matière grasse. Abaissez la pâte feuilletée sur une épaisseur de 2 à 3 mm, garder un tiers de la pâte. Foncez une tourtière haute de 3 cm environ, et laissez dépasser tout autour un rebord de pâte de 2 cm. Garnissez cette pâte avec la viande. Avec le dernier tiers de la pâte faire un couvercle qui sera placé au-dessus des viandes. Soudez avec le rebord de pâte dépassant. Badigeonner au jaune d'œuf et faire un trou au centre du couvercle.

• LA CUISSON
Mettez à cuire à four assez chaud pendant une demi-heure, puis sortir du four, et versez par l'orifice le mélange traditionnel : œuf, crème et lait : 3 œufs, 100 g de crème fraîche, 3 cuillerées à soupe de lait, sel, poivre et muscade battus. Remettez au four pendant encore une vingtaine de minutes.

Noël en Bretagne

Autrefois en Bretagne, à Dol précisément, était joué un mystère appelé "Vie d'Hérode".
Quatre hommes et un enfant d'une dizaine d'années se distri-

buaient les rôles, Hérode, deux de ses gardes, un habitant et un enfant de Judée. Vêtus d'oripeaux et armés d'épées de bois argenté, ils se rendaient de café en café chantant le divin enfant et demandant l'autorisation de jouer la vie d'Hérode. Personne ne refusait, les mystères étaient fort appréciés.

L'enfant entrait et chantait

Où est-il donc, Hérode ?
Hérode le méchant
celui qui martyrise
les petits innocents !

Alors l'homme qui représentait Hérode entrait, couronné...

Si tu en es en peine
Le voici maintenant
Je prive de sa gloire
Le grand dieu tout puissant
Il bousculait l'enfant en disant
Arrière, arrière, enfant,
Que l'on me fasse place
Je porte sur mon chef la couronne royale
La noble fleur de Lys est gravée en mon cœur,
J'entends qu'on me fasse honneur.

Alors l'habitant de Judée entrait à son tour...

Sir, n'allez point si avant,
Car la majesté qui gouverne les grands
Est bien au-dessus de vous-même.
Hérode...
Hé quoi ! Que veux-tu que je fasse ?
Endurer un enfant commander à ma place ?
Cela, je ne saurai le permettre
et chacun devra se soumettre

Hérode à ses gardes entrant...

Gardes, égorgez cet enfant,
Etouffez ses clameurs dans le sang !
Les deux hommes saisissaient alors l'enfant qui chantait
Adieu ma nourrice,
Adieu beau royaume de Judée
O mère infortunée
Je ne vous verrai plus !...

Les gardes faisaient mine d'égorger l'enfant.
Le mystère étant terminé, les acteurs faisaient la quête.

Noël en Provence

Se marier en Avent - aura grand mécontent (menton)
Arlette Dauphin nous dit : *"A Bourg-les-Sadelles, comme dans toute la Provence, il est d'usage depuis un temps immémorial, de manger une dinde rôtie le soir de Noël."* Mais aussi une carde au repas maigre de la veille.
Vers sept heures du soir, on allumait la somptueuse bûche, elle devait brûler une moitié de la nuit.
C'est au dernier né de la maison que revenait la charge des libations sur la bûche ; symbolisme religieux très sophistiqué, le Christ s'étant comparé au bois-vert. L'enfant versait un verre de vin sur la bûche. Au même moment le patriarche prononçait dans la langue du pays les paroles de bénédiction solennelle :
"Alegre ! Diou nous alegre !
Cacho-fio ven, tout ben ven.
Diou nous fague la graci de veire l'en que ven,
Se sian pas mai, siguen pas men !"
"Réjouissons-nous ! Que dieu nous donne la joie ! Avec la Noël, nous arrivent tous les biens. Que dieu nous fasse la grâce de voir l'année qui va venir. Et si l'an prochain nous ne sommes pas plus, que nous ne soyons pas moins !
Le repas commençait alors par les bénédictions du jeune enfant."

LES 13 DESSERTS OU PACHICHOIO
Pourquoi treize ? Parce qu'il y avait douze apôtres et Jésus... Mais les desserts varient d'une région à l'autre, d'une famille à l'autre. Cependant, il y a des traditions communes : les fruits, le nougat et la pompe. On fait aussi des tartes ou des tourtes.
Parmi les fruits, on trouve particulièrement les noix, amandes, noisettes et figues sèches qu'on appelle les mendiants. Ce nom leur a été donné par similitude entre leurs couleurs et celles des habits de moines appartenant aux ordres mendiants. Ainsi, les noix comme les noisettes évoquent les augustins, les figues rappellent les franciscains. Les amandes représentent les carmes et les raisins se rattachent aux dominicains. Par ailleurs, raisins, pommes et poires sont aussi de la fête comme les melons dans le Vaucluse et les châtaignes dans le Haut Var. Nous vous proposons de réaliser le plus symbolique des 13 desserts : la pompe.
• LA PRÉPARATION
(La veille)
Préparez un levain avec 200 g de farine et un verre d'eau légèrement salée. Roulez en boule. Placez dans une terrine, couvrez et tenez au chaud.

(Le lendemain)
Pétrissez 500 g de farine, l'huile d'olive, le sucre en poudre et le levain. Ajoutez l'eau de fleur d'oranger et les fruits confits. Salez légèrement. Pétrissez bien puis divisez en trois parts pour faire trois pompes. Aplatissez la pâte à la main dans trois tourtières et faites sur le dessus de petites entailles. Couvrez et tenez au chaud jusqu'à ce que la pâte ait gonflé d'un tiers de son volume.
• LA CUISSON
Cuisez alors à four très chaud une quinzaine de minutes.

Noël en Vendée

A la nuit tombée, dans les familles bourgeoises, on ramenait une grosse bûche à laquelle était attachée la corde du puits. Les gens de maison se répartissaient en deux groupes dont chacun saisissait une extrémité de la corde. D'un côté les bons esprits, de l'autre les mauvais. Les uns tirant pour emmener la bûche dans la maison, les autres pour l'empêcher d'y entrer, selon une véritable mise en scène digne d'une psychomachie[1] de l'art du Moyen Age. Evidemment, le bien sortait vainqueur du combat, sinon quel intérêt ? Toutefois, le suspens était ménagé quelques instants dans les cris batailleurs des deux équipes. L'objet du triomphe, la bûche, soigneusement parée d'une guirlande était ensuite bénite et portée sur l'âtre.

Traditions européennes

Noël en Allemagne

Peut-être voudrez vous passer un réveillon à l'allemande, c'est-à-dire "ein Volbauchsabend", une soirée des ventres biens remplis ! Noël en Allemagne, c'est avant tout la Weinnacht ou Weinachten au pluriel dont la signification serait proche de nuits saintes ou nuits consacrées. Mais attention, en Allemagne tout commence à partir du 6 décembre suivant le calendrier de l'Avent. Il faut alors cuisiner des biscuits épicés, à la cannelle, à l'anis, préparer le pain d'épice. Tous ces biscuits seront servis avec des

---

1 Lutte des vertus contre les vices.

pommes rouges, des mandarines et des fruits secs comme les noix. Il y a encore et surtout le pain de Noël, le grand classique depuis le 18ème siècle. Le calendrier de l'Avent est véritablement ancré dans les traditions allemandes. En effet, durant cette période, un chef de la garde républicaine remettait au prince impérial des gâteaux de miel glacés, portant l'étoile républicaine ainsi qu'une inscription dédicatoire et traditionnellement fabriqués à Zhorn. Ils le sont encore aujourd'hui à Postdam.

En Allemagne, "la dinde au marrons" c'était plutôt la tête de porc accompagnée de saucisses et de chou vert ou blanc, en clair, la choucroute, mais aujourd'hui, l'oie remplace le porc, accompagnée de... chou rouge. Tandis que le chevreuil et le sanglier sont très prisés dans les régions de chasse. La salade de harengs est un autre grand classique de l'Allemagne du Nord et fait aussi partie des plats froids de la veillée. Alors que le sud farcit les carpes ou les accommode au bleu. Les enfants doivent écrire au Christkind car en Allemagne c'est lui qui distribue les cadeaux. C'est un personnage qui porte des ailes et une tunique blanche. Il porte sur la tête une couronne dorée.

LES LEBKUCHEN OU PETITS PAINS D'EPICE DE NOEL

• INGRÉDIENTS (POUR 7 À 8 PERSONNES)
500 g de farine
150 g de miel (de sapin)
100 g de sucre semoule
2 œufs
150 g d'amandes en poudre
100 g d'oranges confites hachées
1 bonne pincée de cannelle
1 sachet de levure alsacienne
• *Pour le glaçage*
250 g de sucre glace
1 petit verre de kirsch
Ces pains d'épice sont coupés en languettes de 15 cm de long sur 5 cm de large. La préparation se fait en deux temps, à quatre jours d'intervalle.
PREMIER JOUR.
Mélangez le miel et le sucre dans une casserole sur un feu très doux. Retirez la casserole du feu et ajoutez peu à peu la farine, les amandes et les fruits confits hachés. Mélangez bien. Laissez macérer dans un endroit frais, en couvrant la terrine pendant 4 jours.
Deuxième opération.

Délayez le sachet de levure dans une cuillerée d'eau tiède ou de lait. Battez les deux œufs et mélangez le tout au reste de la préparation. Versez sur une planche à pâtisserie farinée et pétrissez pendant 5 minutes. Allumez le four, abaissez la pâte sur 1 cm d'épaisseur, disposez-la sur la plaque du four, beurrée et légèrement farinée. Laissez cuire à feu doux pendant 20 à 25 minutes.
Préparez le glaçage en délayant le sucre glace dans le kirsch. Sur le gâteau tout chaud, étalez le glaçage au couteau, en procédant en deux ou trois fois, couche par couche et en commençant par le centre. Laissez bien sécher à l'air avant de couper en bâtonnets.

Noël en Autriche

C'est autour du personnage de saint Nicolas que commencent les fêtes de Noël en Autriche, le 5 décembre au soir. De rue en rue, Nicolas interroge les enfants sur leur connaissance de la Bible ; il leur demande de réciter des prières et si les enfants sont brillants, ils sont récompensés. Le saint est accompagné du célèbre père fouettard et des Krampus démons terrifiants et poilus, un peu satyres à l'apparence de véritables diables qui revêtent divers aspects selon les régions d'Europe et que suivent aussi des cancrelats de paille qui interrogent les enfants sur leurs bonnes et mauvaises actions. Bien entendu, les enfants sages sont récompensés, ils reçoivent des fruits, des confiseries, des jouets. Tous ces présents sont placés au pied de l'arbre la nuit de la veillée et c'est après dîner qu'on ouvre les paquets. Mais les Krampus promettent aux enfants désobéissants un avenir en enfer via la hotte, terrible issue ! Les adultes sont tout à fait concernés !

LA TERRIFIANTE MORALE DES NIKOLOSPIELE !
En Autriche les Nikolospiele, les jeux de saint Nicolas, faisaient l'objet de véritables mises en scène théâtrales que l'on peut voir encore en Haute Styrie et dans la vallée de L'Enne notamment.
Là-bas, le 5 décembre à la tombée de la nuit, entre chien et loup, on croise d'étranges personnages vêtus de paille des pieds à la tête et couronnés de longs bâtons qui montent au ciel. Ce sont les Shab, chasseurs des démons de l'hiver qu'ils repoussent par les claquements répétés de leur fouet dans l'air.
Mais le spectacle ne s'arrête pas là, dans la rue, un peu plus loin, le cortège de saint Nicolas arrive, derrière le veilleur de nuit et le Maréchal des logis, le cavalier au cheval blanc précède le Bartl

qui apporte des gourmandises aux enfants. D'autres personnages suivent dont enfin saint Nicolas avec le curé suivis par la mort qui porte sa faux, les mendiants, la chèvre porteuse de lait, symbole de fertilité, d'abondance puis le forgeron noir de suie, armé de clous et d'un marteau.

Derrière encore marchent les Krampus, Lucifer est là armé de son trident.

Dans les auberges, les habitants attendent l'arrivée du cortège. Le maréchal des logis entre, l'aubergiste l'autorise à laisser entrer ses amis, le veilleur de nuit en tête puis le Schimmelreiter qui chasse les mauvais esprits. Tout se déroule selon un scénario rôdé avec force théâtralité. Tout à coup, surgit le Rollenträger avec sa grande baguette, puis saint Nicolas, l'abbé et l'ange ainsi que Bartl qui va récompenser les enfants sages. Mais alors commence la mise en scène de la véritable morale. Un mendiant demande à se confesser à l'abbé. Mais, il ne reconnaît ses pêchés qu'à moitié et refuse de reconnaître qu'il pourrait mourir chaque jour. Le personnage de la mort arrive alors derrière le pauvre mendiant et le frappe pour livrer sa dépouille aux Krampus.

Bien entendu, saint Nicolas avant de quitter l'auberge donne à tous des consignes moralisatrices, mais il laisse l'auberge aux mains des démons qui s'emparent immédiatement sous les ordres de Lucifer des villageois à la moralité douteuse. Heureusement, le veilleur de nuit met un terme au "massacre" et l'histoire recommence, une auberge plus loin.

La saint Nicolas en Autriche est aujourd'hui devenue la fête des Krampus, démons d'origine païenne ancestrale. Dans l'Europe centrale, Pierre n'est pas le seul acolyte de saint Nicolas, il est généralement accompagné de plusieurs personnages démoniaques, tel le père fouettard, des croque-mitaines...

Noël au Danemark

La spécialité danoise pour la décoration de l'arbre de Noël est un cœur-corbeille réalisé en tissage de papier (voir le chapitre des décors de la maison). On se réunit devant le sapin chaque dimanche de l'avent. On y boit du vin chaud (vin rouge épicé et raisins). La dinde danoise est en fait une oie farcie de pommes et de pruneaux accompagnée de chou rouge, de compotes d'airelles et de pommes caramélisées. Le Danemark est aussi connu pour son riz à l'amande et à la cannelle. Ce riz c'est un peu notre galette des rois. On y cache une amande blanche, celui qui la trouve reçoit un signe de bonne fortune et a droit à un bonbon en massepain enrubanné. Autrefois, le grod, une bouillie de gruau de riz (un riz au lait parfumé avec du vin, de la cannelle et du beurre) était servi en permanence à la table des plus riches danois qui gardaient ainsi à disposition la part des pauvres et celle des anges. Voici une autre recette de riz danois, de tradition plus récente.

LE RIZ AUX AMANDES ET AUX GRIOTTES

• INGRÉDIENTS (POUR 6 PERSONNES)
60 g de riz rond
3/4 de litre de lait
50 g de sucre
50 g d'amandes effilées
1 boîte de griottes au sirop
2 verres de Sherry
300 g de crème fraîche
2 bâtons de vanille
20 g de beurre
• LA PRÉPARATION
Lavez le riz. Egouttez-le. Portez le lait à ébullition. Ajoutez le bâton de vanille fendu en deux. Ajoutez le riz et le beurre. Mélangez.
• LA CUISSON
Laissez cuire à feu doux. La cuisson doit être lente (au minimum 45 minutes) et le riz très cuit.
Hachez les amandes (pendant la cuisson) mais gardez-en une entière.
Hors du feu, ajoutez le sucre et les amandes. Mélangez. Laissez refroidir.
Fouettez la crème fraîche en chantilly. Incorporez-la au riz refroidi. Ajoutez l'amande entière. Versez le tout dans un saladier. Mettez au frais.
Égouttez les cerises. Mettez le sirop dans une casserole. Faites réduire un peu. Ajoutez le Sherry. Remettez les cerises dans ce sirop.
Au moment de servir, versez cerises et sirop sur le dessus du dessert.

Noël en Espagne

Dès le 8 décembre en Espagne commencent les fêtes de Noël. Cette date correspond au jour de l'Immaculée Conception. Les églises comme les maisons sont pourvues de crèches. Les uns et les autres se regroupent pour chanter et tambouriner. A Noël en Espagne, on mange la soupe aux amandes composée d'amandes cuites dans du lait et réduites en purée. On y mange aussi une dorade au four parfumée de tranche de citron, d'ail et d'huile qu'on appelle le besugo.

Le 6 janvier, les enfants pendent leurs chaussettes au balcon, espérant que les rois mages bienveillants les rempliront de cadeaux. D'ailleurs, pour les attirer, la coutume veut qu'on place une étoile brillante devant la fenêtre car les mages pour se guider suivirent les étoiles dans le ciel...

Noël en Grande-Bretagne

Noël en Grande-Bretagne, Christmas, c'est avant tout à l'origine la messe du Christ, mais c'est aussi le célèbre pudding, le Christmaspudding, les cartes postales, Charles Dickens et la soupe à la tortue, recette étrange s'il en est, mais nous vous l'épargnerons dans la mesure où vous avez bien peu de chance de trouver de la tortue.

LE CHRISTMAS PUDDING (PLUMPUDDING)
- INGRÉDIENTS (POUR 16 PERSONNES ET DAVANTAGE)
300 g de farine
400 g de pain sec
2 cuillerées à café de sel
400 g de graisse de rognons de bœuf
1,2 kg de raisins secs (Smyrne, Corinthe, Malaga)
400 g de fruits confits hachés
300 g d'écorces confites de cédrat, d'orange et de citron
300 g de sucre roux
200 g d'amandes effilées
2 cuillerées à soupe de mélasse
2 cuillerées à café de gingembre en poudre
2 cuillerées à café de cannelle
10 œufs
1 cuillerée à café de muscade râpée
4 dl de cognac ou de rhum
1 verre de bière
- LA PRÉPARATION
Hachez la graisse de rognons de bœuf. Passez à la moulinette avec le pain sec.
Epépinez les raisins et hachez-les.
Hachez également les écorces confites.
Mettez la farine, les épices, le sel, le sucre et les fruits confits dans une terrine. Mélangez l'ensemble en ajoutant la bière et l'alcool. Bien travailler la pâte. Couvrez.
Laissez macérer au moins une semaine et même plus si possible. En Angleterre, on commence le pudding le premier jour de l'Avent.
Incorporez les œufs battus et malaxez. Beurrez et farinez

un bol à pudding ou une terrine et versez-y la pâte en tassant bien. Enveloppez le bol ou la terrine dans un torchon dont on aura préalablement beurré et fariné le centre, c'est-à-dire la partie qui touchera la surface du pudding.
Ficelez les quatre coins du torchon sous le bol en serrant bien.
Portez une grande marmite d'eau à ébullition. Plonger-y le pudding. Faites cuire 4 à 5h à l'eau frémissante. Retirez le pudding de la marmite, laissez tiédir. Déficelez. Renversez sur un plat.
Nappez de deux cuillerées à soupe de sucre roux. Arrosez de rhum ou de cognac chauffé.
Flambez... sur la table même, c'est rituel.
Si ce pudding est préparé à l'avance, gardez-le au frais dans le bas du réfrigérateur.
• LE JOUR DE LA DÉGUSTATION
Remettez le pudding à cuire au bain-marie pendant 3 heures. Otez serviette et papier. Démoulez. Arrosez copieusement de cognac préalablement chauffé et flambez-le ! Le pudding se sert avec un beurre ou une crème au cognac.

Noël en Hollande

Saint Nicolas est le patron de la ville d'Amsterdam. Il arrive en bateau. Saint Nicolas est réputé passer son temps dans un château espagnol où il note dans un grand livre rouge les faits et gestes des enfants, leurs bonnes et leurs mauvaises actions. Saint Nicolas est accompagné de Pierre le noir. Pierre est ce personnage bienveillant dont l'apparence rappelle la richesse des rois mages par les vêtements luxueux. Contrairement à la fête de Noël, familiale, la saint Nicolas est une fête publique. Le pain d'épice est un des symboles de la présence de saint Nicolas dans la ville.
Saint Nicolas réalisa principalement des miracles en faveur des enfants maltraités, violés, volés, perdus, assassinés... qu'il ressuscita ou retrouva. La saint Nicolas marque le passage de l'automne à l'hiver. Mais saint Nicolas est fêté pour de nombreux bienfaits très différents.

LES CELEBRES SPECULAAS !
• INGRÉDIENTS
6 kg de farine
2 kg de cassonade
1/4 de litre de lait
1 kg de beurre

250 g d'amandes hachées
100 g d'écorces de fruits confits
75 g de gingembre frais râpé (ou en poudre au moins 100 g)
cannelle
muscade
un tout petit peu de cardamome et quelques clous de girofle
• *LA PRÉPARATION*
Faites chauffer la préparation dans 1/4 de litre de lait en évitant l'ébullition. Une fois le mélange homogène, versez-le dans un puits au milieu de la quantité de farine indiquée puis mélangez les autres ingrédients, pétrissez afin de bien mélanger les ingrédients. Etalez la pâte de manière à obtenir 1 cm d'épaisseur, il ne vous reste qu'à découper les biscuits à l'aide d'un ébauchoir (vous en trouverez de toutes les formes dans les grandes surfaces ou les magasins d'ustensiles de cuisine). Faites cuire à four bien chaud et comme la durée de cuisson est un secret bien gardé, surveillez bien pour ne pas brûler vos speculaas !

Noël en Italie

En Italie, les festivités commencent 8 jours avant Noël et s'achèvent le jour de l'épiphanie le 6 janvier. Mais dans ce pays, le régionalisme est toujours d'actualité et l'ambiance est bien différente d'une ville à l'autre.
En Toscane, on offre les cadeaux qu'à partir du 6 janvier à l'arrivée des Rois Mages mais surtout au passage de Befana la femme au look de sorcière qui comme notre père Noël descend par la cheminée. Befana cherche en solitaire de berceaux en berceaux le petit enfant Jésus. Aussi offre-t-elle des cadeaux aux enfants sages, mais un morceau de charbon aux enfants désobéissants.
A Naples, les feux d'artifices animent les nuits jusqu'au 31 décembre tandis qu'on jette par la fenêtre les "vieux machins" dont on ne veut plus, comme les meubles usés.
A Turin comme à Milan, le repas de Noël est servi à l'heure du déjeuner le 25 décembre, on y déguste raviolis, risotto parfumé au safran, dinde rôtie et pour le dessert, le sompteux Panettone dit de Milan mais qui, lui, se mange dans toute l'Italie et tient ses subtiles saveurs des cédrats confits et des zestes de citron. Mais, fait étonnant, vous aurez peu de chances de trouver du Panettone en Italie en dehors de la période de Noël alors qu'en France vous pourrez en acheter toute l'année !
A Vérone, le Panettone est appelé pandoro ; il est recouvert de sucre-glace et se déguste aussi à Venise. A la nuit tombée, on allume des bougies pour se réunir autour de la crèche familiale. Les

enfants d'Italie découvrent eux aussi leurs cadeaux au pied de l'arbre. Selon la tradition, 34 heures avant la veillée de Noël, tout le monde devrait jeûner.

LE PANETTONE DE MILAN
- INGRÉDIENTS (POUR 8 À 10 PERSONNES)

50 g de levure fraîche
650 g de farine
1 cuillerée à café de sel
150 g de farine
5 œufs
200 g de beurre
1 zeste de citron
150 g de raisins secs
100 g de cédrat confit
1 cuillerée à soupe d'huile

- LA PRÉPARATION

Délayez la levure dans un demi verre d'eau tiède. Mettez la farine, le sucre et le sel dans une grande terrine. Faites un puits.

Versez la levure dissoute et les jaunes d'œufs. Travaillez jusqu'à obtenir une pâte homogène. Ajoutez le beurre coupé en petits morceaux, le zeste de citron finement râpé, le cédrat coupé en petits dés et les raisins secs.

Mélangez le tout. Roulez en boule. Laissez doubler de volume dans la terrine couverte d'un torchon, pendant au moins 6 heures.

Préparez ensuite la pâte en lui donnant la forme d'un gros cylindre allongé en le plaçant dans un moule à brioche ou à baba huilé, ou roulez-le dans un carton tapissé de papier sulfurisé huilé. Laissez encore lever pendant 1 heure.

Faites une croix sur la surface à l'air. Mettez à four chaud (thermostat 7-8) pendant 45 minutes environ.

Démoulez aussitôt sur une grille et laissez rassir au moins 12 heures.

Ce gâteau se conserve plusieurs jours enveloppé dans du papier sulfurisé ou d'aluminium.

Noël en Suède

En Suède, Noël ce n'est pas seulement le 25 décembre, mais des fêtes qui se succèdent pendant un mois, de la sainte Lucie, le 13 décembre à la saint Knut le 13 janvier.

A la sainte Lucie, dans chaque maison, les filles sont chargées du réveil de la famille avec café et pains au lait. Pour l'occasion, elles sont habillées de blanc et portent une ceinture rouge et sur la tête, une couronne de verdure parée de bougies allumées. Les garçons jouent aussi leur rôle et sont coiffés de bonnets pointus. Pour le repas de Noël les suédois servent un gâteau de riz dans lequel se trouve une seule amande. Celui qui trouve l'amande se mariera dans l'année à venir.

LES HARENGS A LA MOUTARDE

- INGRÉDIENTS (POUR 12 PERSONNES)
4 harengs salés
4 cuillerées à café de vinaigre d'alcool
8 cuillerées à café de moutarde
2 cuillerées à soupe de sucre
2 cuillerées à café de sel
1 grosse pincée de poivre concassé
1 gros bouquet de fenouil
1 petit brin de céleri
- LA PRÉPARATION
Faites dessaler les harengs dans l'eau froide 8 à 10 heures. Changez l'eau souvent.
Faites cuire la marinade environ 1/4 d'heure jusqu'à ébullition.
Coupez les harengs en morceaux. Placez-les 24 heures avec la marinade chaude dans un bocal. Servez avec la crème et la moutarde.

Noël en Suisse

Pendant la semaine qui précède Noël en Suisse, les enfants sonnent de porte en porte pour obtenir des friandises. En Suisse, les cloches retentissent très fort à Noël et chaque village rivalise avec les autres pour attirer à lui ceux qui se rendent à la messe de minuit. On y mange une oie rôtie.

LES RISSOLES A LA GENEVOISE

- INGRÉDIENTS
Une douzaine de poires
la moitié de leur poids en sucre
un zeste de citron
de la cannelle
des raisins de Corinthe
un verre de rhum, de grand-marnier ou de kirsh
une pâte feuilleté de 500 g
- LA PRÉPARATION
Faites cuire les poires à feu doux dans une casserole d'eau

jusqu'à qu'elles se réduisent en compote. Passez-les au tamis de manière à enlever les pépins. Ajoutez le sucre, le zeste de citron et la cannelle, repassez au feu pendant une dizaine de minutes puis laissez refroidir. Epluchez et ramollissez les raisins de Corinthe en les cuisant quelques minutes dans une casserole avec de l'eau. Egouttez puis ajoutez à la compote de poire.

Etalez la pâte feuilletée en une feuille de quelques millimètres d'épaisseur. Sur une moitié de pâte placez des petits tas d'un volume égal au contenu d'une cuillère à café et espacés de quelques centimètres. Repliez la seconde moitié de pâte et soudez-la bien en appuyant puis découpez les rissoles avec une roulette.

Préchauffez le four à haute température. Rangez les rissoles sur une plaque beurrée et badigeonnez-les au jaune d'œuf pour qu'elles aient de l'éclat. Au moment de servir vous pouvez les saupoudrer de sucre glace.

3
....

La petite histoire de la crèche

Le mot crèche désigne une mangeoire pour bestiaux, celle qui, selon saint Luc servit de berceau au Christ. Par la suite, le sens de ce mot s'est élargi au lieu même de la naissance du Christ, puis à sa naissance en général. Sa seule évocation suffit d'ailleurs aujourd'hui à faire jaillir dans "nos têtes bien faites" cet enfant né dans une étable[1], entouré de sa mère, de son père, de l'âne, du bœuf, des bergers puis, plus tard, des rois mages. L'origine étymologique du mot "crèche" nous vient du terme allemand "Krippe" apparu en France au Moyen Age, en latin cela se dit : "praesepium" qui signifie aussi "mangeoire".

LA NAISSANCE DE LA CRECHE

En 248 Origène mentionne la première crèche connue. Au Moyen Age, dans les drames liturgiques puis dans le cadre du théâtre des mystères à partir du 15ème siècle des scènes de nativité, véritables crèches vivantes, étaient jouées dans le chœur des églises. Mais, contrairement à ce que répète la tradition, saint François d'Assise n'est pas tout à fait le créateur de la première crèche. Le récit que fait saint Bonaventure dans la "Légenda Major" de la messe célébrée la nuit de Noël 1223, nous indique qu'on avait placé dans l'église, à l'initiative de saint François, un âne et un bœuf devant une mangeoire qui servit d'autel. Cette mise en scène reproduisait celle des drames liturgiques connus bien avant saint François. Cela dit, l'ordre des francis-

_____
1 Nous avons vu qu'il s'agit en réalité d'une grotte.

cains a largement contribué à la diffusion des crèches. En France, c'est au 16ème siècle, lorsque le théâtre des mystères est supprimé (en 1548) que les crèches, telles que nous les connaissons aujourd'hui, apparaissent. En Provence, elles jouent très tôt un rôle aussi important que le sapin dans le nord de la France. Mais comme c'est souvent le cas, les origines restent vagues et mal établies. Au 17ème siècle en Provence, plus que nulle part ailleurs en France, est vouée une dévotion toute particulière à la crèche et à ses protagonistes. Là encore, l'accent est mis sur le rôle des bergers. Au 19ème siècle, la crèche prend les formes que nous lui connaissons toujours. Les santons d'argile habillés peuplent un décor sommaire ou grandiose ; traditionnellement la crèche provençale reproduit un paysage avec ses reliefs, ses cours d'eau, ses arbres et bien entendu son étable, le tout présenté avec plus ou moins de fastes.

Si la crèche connaît un engouement variable au cours du 19ème siècle, la seconde guerre mondiale est pour elle l'occasion de sortir des frontières provençales. Mais comme toute tradition aussi populaire, la crèche est modelée par un régionalisme très marqué. Ainsi dans certaines régions de France comme Strasbourg, la crèche a pu devenir un véritable autel privé. Le Christ n'y était placé que le 25 décembre à minuit et les enfants de la maison représentés sous la forme de petits agneaux figuraient en bonne place.

On trouvait en Alsace des crèches représentées sur des planches à découper, imprimées par les imageries d'épinal.

LES SANTONS

Le santon incarne la crèche provençale et presque la Provence à lui seul. Il a vu le jour à la fin du 18ème à la fois en argile, en bois et en cire. Mais c'est le modèle moulé en argile produit en série et d'un coût généralement modique qui connut le plus de succès. Sa gloire fut en quelque sorte provoquée par la Révolution quand celle-ci interdit messes de minuit et crèches dans les églises, favorisant un usage privé de la crèche peu à peu répandu dans chaque foyer. Lagnel a été le premier fabricant de santons en série. Il a largement inspiré la production. Il est, aujourd'hui encore, très copié.

Le santon fait l'objet d'une évolution, même si cette tradition est assez conservatrice, quelques inventions arrivent à s'inscrire au cœur des formes pérennes et imperturbables des santoniers. Certains personnages présents en tous lieux et en tous temps incarnent la crèche dans toute son histoire. Il en est ainsi des mères portant dans leurs bras de jeunes enfants, des musiciens, des chasseurs, des santons chargés de paniers pleins d'offrandes.

Mais certains santons se font davantage le reflet d'un moment, d'une mode, conjonction heureuse entre la créativité d'un santonier et l'air du temps, même s'il reste difficile de s'éloigner d'une tradition fortement marquée par le régionalisme provençal. Un regard sur le passé pour un exemple [1], nous permet de mesurer l'étendue du message véhiculé par les santons, ainsi le sens n'est-il pas le même si, en 1942, le Maréchal Pétain se trouve figuré parmi "les gens du village"...

La coupeuse de lavande, plus innocente et contemporaine a fait son entrée parmi les santons grâce à Marcel Carbonel et la star de la télévision est, elle aussi, venue rendre hommage au nouveau né grâce à Paul Fouque.

Le père Noël, bien entendu, n'a pas été oublié et pourra lui aussi animer votre crèche sous la forme de statuettes d'argile.

Et si vous fabriquiez vos santons !

Deux techniques en apparence contraires se complètent utilement et partagent les mêmes outils. Les outils en question sont les mirettes, il en existe des modèles très simples en plastique d'un coût modique. D'autres modèles, plus professionnels sont constitués d'un manche de bois et de fil de fer. Avec ces outils, vous pouvez travailler de deux façons. Soit à partir d'un bloc de terre dans lequel s'inscrit la forme que vous souhaitez réaliser et dans ce cas, vous procédez par enlèvement de matière. Soit à partir d'une structure en bois ou en métal ou d'un simple petit morceau de terre auquel vous ajoutez des petites boulettes d'argile afin de constituer la forme de votre choix. D'emblée vous comprenez comment ces deux techniques peuvent utilement se compléter.

Par ailleurs, la terre se travaille essentiellement à l'état humide. Il est donc primordial de maintenir l'humidité d'un jour à l'autre si le travail dépasse le cadre d'une journée. Vous y parviendrez en recouvrant la terre avec un chiffon humide. Il faut aussi savoir qu'il est nécessaire de préparer un peu la terre avant de la travailler. Il s'agit en particulier d'enlever le maximum de bulles d'air contenues dans la pâte. Les bulles d'air pourraient être dangereuses en cas de cuisson, elles éclatent et brisent ou altèrent largement l'objet. Elles peuvent aussi vous empêcher de donner à

---

1 Exemple trouvé dans la passionnante préface de Jean Cuisenier, Directeur de Recherche au C.N.R.S, Conservateur en Chef du Musée des Arts et Traditions Populaires. In "Crèches et traditions de Noël"(voir bibliographie).

votre objet les détails voulus par manque de matière sur certaines parties.
Vous pouvez par ces deux techniques, celle de l'enlèvement de matière et celle de l'ajout, conjuguées ou employées distinctement, créer vos propres santons. Ceux-ci seront alors uniques !

Moulez vos santons pour en offrir

Vous pouvez aussi réaliser un moulage de vos santons. Cela vous permettra d'obtenir plusieurs exemplaires d'un même modèle afin peut-être d'en offrir à vos proches. Il y a pour cela plusieurs techniques dont le résultat n'est pas le même. Voici une de ces techniques qui est sans doute la plus courante et la plus efficace si elle n'est pas la plus simple. Elle reste cependant très facile à mettre en œuvre pour de petits objets.

MATÉRIEL :
• plâtre de Paris
• savon
• un peu d'huile de table
• un pinceau
• un peu d'argile
• des gants en plastique

LA FABRICATION DE VOTRE MOULE EN PLATRE DE PARIS
Etalez une plaque d'argile comme une pâte à tarte avec un rouleau à pâtisserie. Découpez dans cette pâte des bandes d'environ 1 cm d'épaisseur et 2,5 cm de largeur. Assemblez ces bandes sur le santon de manière à le diviser en deux parties égales, la face et le dos. Une des parties apparaîtra forcément plus petite puisqu'elle sera en partie recouverte de la bande de terre. Appliquez avec un pinceau un peu de savon mélangé à l'huile sur la moitié entièrement libre du santon.

Préparez un tout petit peu de plâtre dans une bassine en plastique. Commencez par remplir le récipient de la quantité d'eau voulue, puis saupoudrez le plâtre en le répartissant sur toute la surface de l'eau. Arrêtez-vous avant que le plâtre n'affleure la surface de l'eau afin d'obtenir une consistance liquide. Mélangez avec un fouet pour obtenir un plâtre homogène. Appliquez avec un pinceau une mince couche de plâtre sur toute la surface à mouler. Laissez sécher jusqu'à la prise.

Préparez cette fois une plus grosse quantité de plâtre plus épais en ajoutant du plâtre dans l'eau jusqu'à ce que celui-ci en affleure bien la surface.

Appliquez le plâtre à la main (portez des gants) et cette fois en une couche plus épaisse, environ 2 cm pour obtenir un moule assez solide. Il faut que l'épaisseur soit inférieure à celle de la bande de terre. Avec la paume de la main, égalisez le dessus de la pièce du moule quand le plâtre a commencé à prendre mais qu'il reste malléable en surface. Avant durcissement complet, lorsque le plâtre a "pris" mais est encore frais, vous devez réaliser ce qu'on appelle des clés. Il s'agit de petites entailles en "V" qui permettront aux deux parties du moule de s'emboîter exactement comme il se doit pour que la pièce moulée soit la copie la plus fidèle possible de l'originale. Avec un couteau, entaillez donc le bord de la partie en contact avec la bande de terre de manière à former un "V" en creux dans cette partie.

Laissez sécher (toute une nuit par exemple). Enlevez la bande de terre et isolez la surface qui était en contact avec celle-ci en appliquant au pinceau un peu de ce mélange huile, eau chaude et savon noir. En réalisant cette opération, vous devez être particulièrement attentif et bien enduire d'isolant l'endroit précis où vous avez placé les petites entailles des clés. Pour la deuxième pièce, renouvelez les opérations mises en œuvre pour la réalisation de la première pièce. Laissez sécher.

LE MOULAGE D'UN SANTON DANS VOTRE MOULE

Le moule est donc à présent fonctionnel et vous allez pouvoir réaliser vos santons en série. De nombreuses possibilités s'offrent à vous. Vous pourrez en effet mouler des santons en plâtre, ce qui vous éloigne de la tradition. Mais vous aurez tout aussi bien la possibilité de les mouler en terre et obtenir des santons dans une matière traditionnelle. Pourquoi pas en cire ! Les moules en plâtre sont extrêmement pratiques et permettent une foule de manipulations.

La première opération est primordiale et vous l'avez déjà réalisée auparavant. Il s'agit d'enduire la surface interne des deux pièces du moule du mélange savon noir - eau chaude - huile. Si vous oubliez de le faire, vous ne pourrez pas démouler le santon devenu solidaire du moule.

Une fois les deux pièces bien isolées, refermez le moule soigneusement. Eventuellement, vous pouvez fermer la jointure des deux pièces plus hermétiquement avec un peu de terre répartie le long de la ligne de joint. Enfin, fixez avec un peu de terre le moule afin que le trou de coulée soit vers le haut.

Préparez votre plâtre de coulée. Sa consistance doit être assez moyenne, bien liquide afin d'épouser les contours en détail, mais assez épaisse pour prendre rapidement. C'est une consistance à mi-chemin entre les plâtres nécessités pour la réalisation du moule. Coulez le plâtre en deux temps d'abord, un premier jet de matière insuffisant pour remplir totalement le moule. Laissez-le remplir tous les espaces, puis remplissez le moule.

Tapotez les parois du moule afin d'en extraire les bulles d'air que vous verrez venir éclater à la surface de la pièce visible.

Laissez sécher. Lorsque le plâtre peut être rayé à l'ongle, vous pouvez démouler.

LA FINITION DU SANTON MOULÉ

Le joint des deux parties du moule sera visible sur le santon après démoulage. Plus vous aurez réalisé soigneusement votre moule, moins ce joint sera proéminent. Plus vite vous l'enlèverez après démoulage et plus l'opération sera aisée.
Vous le ferez très facilement avec la lame effilée d'un couteau ou avec un cutter. Ou encore, si le joint est très discret, simplement avec les doigts vous arriverez à l'effriter, puis avec un papier abrasif de plus en plus fin vous le supprimerez. Voici un petit santon encore tout blanc.
Vous pouvez donner à vos santons de plâtre la couleur de l'argile en teintant le plâtre au moment du mélange avec l'eau. Vous trouverez des pigments naturels en vente dans les magasins de fournitures de beaux arts. Bien sûr, de très nombreuses couleurs sont aujourd'hui disponibles.

LA MISE EN COULEUR

La mise en couleur sera d'autant plus aisée que vous aurez laissé sécher longtemps votre personnage. En effet, n'oubliez pas que le plâtre contient beaucoup d'eau (vous l'avez ajoutée vous-même), une grande quantité de cette eau s'évaporant les premiers jours. Pour cette raison, il est préférable d'attendre environ une semaine. Les santons moulés creux sécheront plus vite. Vous pouvez aussi recourir à quelques stratagèmes pour gagner du temps : placez vos santons au-dessus d'un radiateur, près de la cheminée si vous chauffez vos nuits d'un feu de bois, ou bien placez-les au soleil...
La peinture acrylique n'a pas une bonne tenue sur le plâtre. Elle nécessite, en tous cas, un meilleur séchage du plâtre. Si celui-ci est trop humide, la peinture a tendance à cloquer et à s'éplucher relativement rapidement. La gouache suppose l'application d'une couche de vernis protecteur après séchage. La peinture à l'huile s'avère la plus indiquée c'est-à-dire une peinture de type glycérophtalique. Mais vous devrez attendre le séchage de chaque couleur avant d'en appliquer une autre, sauf si vous voulez jouer des mélanges. Avec ce type de peinture, vous obtiendrez de surcroît une meilleure finition, leur épaisseur comblera les aspérités généralement présentes à la surface du plâtre.
Mais, par souci de perfection, vous pouvez aussi, avant de peindre, passer une fine couche d'enduit très fin (disponible dans les magasins de fournitures pour Beaux arts) sur toute la surface du santon. Poussez encore plus loin en ponçant légèrement toute la surface enduite avec une feuille d'un papier abrasif très fin. Vous

trouverez le papier abrasif dans les grandes surfaces, au rayon bricolage. Vous pouvez encore, d'une manière traditionnelle, habiller vos santons avec du tissu.

Fabriquez votre crèche

Cela va de soi, avec l'argile vous pouvez réaliser bien d'autres objets et, puisque c'est notre sujet, la crèche, l'étable de la Bible. La terre vous permettra d'obtenir aisément les effets les plus réalistes. Les solutions sont multiples, nous proposerons donc seulement une possibilité enrichie d'options.

Votre crèche en terre

MATÉRIEL :
• de la terre
• des mirettes

Pour les quatre murs (vraisemblablement, vous n'aurez réellement besoin que de trois murs dans la mesure où la façade sera largement ouverte sur la nativité qui se déroule à l'intérieur), vous pouvez modeler une grande plaque de terre que vous replierez en quatre parties égales en prenant soin de tailler, avant le pliage, les fenêtres que vous éviderez. Le pliage risque de conférer une certaine mollesse à l'étable. Pour éviter cet aspect, formez vos angles sur une vieille boîte en tapotant avec un tasseau de bois ou une règle en plastique assez large pour imprimer la forme dans la pâte.
Avec une autre bande d'argile pliée en deux, réalisez le toit. Taillez dans un autre morceau de pâte un triangle pour former le pignon. Un seul pignon suffira en effet si vous n'avez réalisé que trois murs. Pour le sol, modelez

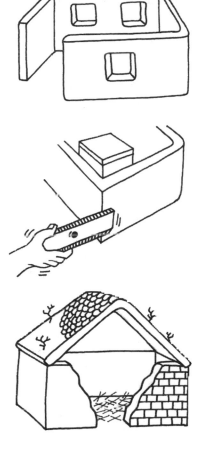

une autre plaque plus grande que la superficie de la crèche. Il ne vous reste plus qu'à assembler les différentes parties et à laisser sécher. Les effets sont pour la plupart à réaliser dans la pâte encore fraîche. Vous pouvez, par un jeu de lignes croisées perpendiculairement, imprimer dans la pâte l'aspect d'un appareil de refend.

Découpez le mur de façade de manière irrégulière avant d'imprimer dans la pâte l'effet proposé plus haut, vous donnerez ainsi à votre crèche le caractère romantique d'une ruine.

Pour la tuile, creusez dans la pâte des "U" à l'envers juxtaposés. Plantez des brindilles dans le toit et sur les murs, elles accentueront le caractère romantique... Vous laisserez ensuite sécher, et vous peindrez exactement comme vous l'avez vu pour les santons.

Vous pouvez aussi et c'est une solution très utile, couler vos santons en cire ! Dans ce cas, pensez qu'avec une mèche, vous obtiendrez une bougie ! Vous fondrez des santons d'une seule couleur sur lesquels vous ajouterez quelques menus détails comme les yeux, le nez, la bouche...

Une crèche en carton

Vous vous procurerez aisément et gratuitement un carton dans une grande surface ou d'autres magasins d'alimentation plus modestes. Mais, de préférence choisissez le plus grand carton possible.

Avec un crayon à papier reproduisez le schéma.

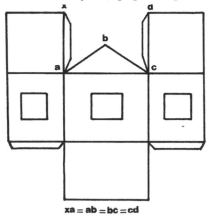

xa = ab = bc = cd

L'impératif qui va guider le choix des proportions de votre crèche est le suivant : il faut que la hauteur des rectangles qui serviront de toits soit égale à la longueur de la pente du toit. Découpez les fenêtres avant l'assemblage. Pour que la construction ne s'affaisse pas il vous faudra marquer soigneusement les plis. Il est d'ailleurs préférable de les "souligner" avec la lame d'un cutter (d'une main légère pour ne pas découper) ; l'opération de pliage sera ainsi facilitée et votre architecture n'aura pas l'air mou.

L'aspect brut du carton peut avoir son charme. Mais si vous préférez pousser plus loin l'illusion, pensez-y avant l'assemblage des différentes parties entre elles. En revanche, il vaut mieux réaliser le décor avant le découpage du "kit" afin de ne pas avoir à retoucher la tranche de certaines parties.

• Décor basique

Vous pouvez tout simplement imiter l'appareil de refend d'une construction de pierre.

Si vous possédez un ordinateur avec son imprimante, et des logiciels de dessin (même basiques) pourquoi ne pas imprimer des pages de trame "mur" et en recouvrir votre maquette comme s'il s'agissait de "papier peint". Sans oublier la trame "toits".

• Pour aller plus loin...

Vous pouvez donner vie à votre petite crèche en peignant quelques détails comme de la végétation, celle qui aurait poussé entre les pierres de l'étable, celle, au contraire, enracinée au pied de la bâtisse. De plus, la crèche est traditionnellement l'espace modeste et vétuste constituant le cadre très humble de la naissance du Christ. L'effet ne sera donc que plus "vrai" si vous jouez du trompe-l'œil en ajoutant quelques brèches dans le toit. Ou si vous jouez du pittoresque en plaçant sur le toit un petit nid d'oiseau. Ou encore si vous allez plus loin (à condition d'avoir choisi un carton assez épais) en piquant dans le carton de vraies petites feuilles, pour cela ménagez des trous avec une aiguille.

Un toit encore plus pittoresque ! Recouvert de lichen, de mousse, le toit sera aussi très poétique. Faites des ballades dans les bois pour préparer Noël ! Mais, si vous avez construit votre crèche en carton sans la peindre et si vous le regrettez, vous pouvez encore la décorer en utilisant une bombe de peinture.

Ou bien recouvrez les parois de la crèche avec du plastique adhésif imitant le bois, une étable était souvent faite de planches ! Vous jugerez peut-être votre crèche un peu trop neuve. Salissez-la en pulvérisant une peinture beige ou ocre jaune, couleur de poussière, sur les parois et en particulier sur le bas des murs. Pour pulvériser cette couleur vous pouvez utiliser une bombe aérosol ou une brosse à dent.

POUR REALISER LE SOL DE LA CRECHE

Procurez-vous de la frésille dans les magasins de fournitures de beaux arts ou dans les rayons "bricolage" des grandes surfaces.

LES SANTONS DE CARTONS

Un simple cylindre de carton surmonté d'une balle de ping-pong peut incarner un

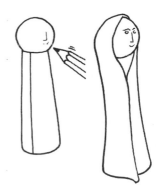

personnage de crèche pourvu qu'on y ajoute quelques menus détails explicites. Vous pouvez à partir d'une base aussi simple apporter un luxe de détails et de décors complémentaires comme des pièces d'étoffes rapportées.

LES DECORS EN TROMPE-L'ŒIL

Il n'est pas toujours très simple de réaliser des personnages en trois dimensions, même si nous avons essayé de vous proposer des solutions très accessibles à tous les points de vue. En revanche, il est d'une extrême commodité de représenter des personnages sur une feuille de papier. Alors pourquoi ne pas représenter les personnages sur différentes bandes de papier que vous pourrez assembler de jour en jour pour que la crèche soit comme réellement vivante. Sur une même bande de papier vous pouvez figurer Joseph et la Vierge Marie. Sur une autre bande placez les animaux. Une troisième bande sera consacrée uniquement au Christ, vous pourrez la mettre en place dans votre crèche à minuit pile ! Sur d'autres bandes de papier figurez les bergers, puis les rois mages que vous placerez le 6 janvier ! La crèche devient ainsi un véritable petit théâtre que vous animez vous-même chaque jour !

Et pour les personnages, vous pouvez vous inspirer de tableaux célèbres représentant le thème de la nativité. Il en existe de très nombreux peints par Botticelli, Léonard de Vinci, Ghirlandaïo, Gentile da Fabriano... Découpez dans des cartes postales les personnages en silhouettes. Achetez éventuellement plusieurs fois la même carte de manière à pouvoir utiliser tous les personnages représentés.

LA CRECHE VIRTUELLE !

Si vous êtes informatisés, enveloppez votre ordinateur de papier-rocher de manière à ce que seul l'écran soit visible. Avec un outil graphique dessinez une crèche. Si vous possédez un outil son, vous pouvez aussi composer une animation sonore.

La crèche et son environnement en mousse expansive

Une technique réservée aux adultes, mais pour la joie des enfants. Une matière idéale pour mouler, sculpter, selon vos désirs, mais attention, la mousse polyuréthanne est extrêmement inflammable, (somme toute pas davantage que le carton, mais elle dégage une fumée toxique en brûlant) éloignez donc les bougies de son voisinage !

Toutes précautions prises pour préserver votre sécurité et celle de vos proches, la mousse peut vous permettre de réaliser un sompteux décor en très peu de temps. Là encore, vous aurez besoin d'un carton, mais cette fois il ne servira qu'à mouler le bloc de mousse dans lequel vous allez réaliser votre décor. Evidemment plus votre carton sera grand plus vous aurez besoin de mousse, mais cela dépend aussi de la densité de mousse que vous souhaitez obtenir. En effet, plus la mousse est contrainte dans un espace réduit par rapport au volume de matière expansive, plus celle-ci est dense et adaptée à des travaux précis. Au contraire, plus la matière est libre, plus elle est aérée, composée d'un assemblage d'alvéoles (bulles qui éclatent les unes à côté des autres).

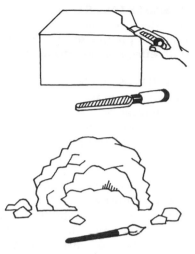

La mousse augmente environ de 2 à 3 fois de volume, cela dépend des conditions atmosphériques, notamment de l'humidité de l'air. La mousse durcit plus vite si elle est aspergée d'eau alors qu'elle est encore fraîche, c'est-à-dire molle. La mousse peut se découper après deux heures environ. Elle peut être poncée et peinte 8 heures après l'application à l'air.

Une fois votre bloc de mousse obtenu, vous pouvez lui donner la forme de votre souhait, par exemple, celle d'un grand rocher. Dans ce rocher, vous pourrez creuser une grotte et y installer votre crèche. Comme nous le précisions plus haut, il est possible de peindre la mousse expansive après quelques heures. Dès lors c'est votre imagination qui commande, tout est possible. Vous pouvez respecter les couleurs "locales" et vous inspirer d'un paysage désertique. Mais, au pied du sapin, peut-être préférerez-vous un cadre plus verdoyant.

Dans ce cas, il vous sera très facile de "fleurir" votre rocher.

Autour de la crèche

Le décor dans lequel vous allez placer votre crèche est sûrement tout aussi important que la crèche, c'est en tout cas l'environnement qui lui donnera toute sa force d'évocation. Nous avons déjà mentionné le papier imitant les rochers, très pratique pour la liaison du sapin et de la crèche dans un même ensemble.

UN SIMPLE TAS DE SABLE

Bien disposé, avec des parties hautes pour les montagnes, basses pour les plaines et les champs de bergers. Le tas de sable sera d'un effet réaliste étonnant.

UN PEU PLUS DE VIE

Des petites branches mortes récupérées lors de vos promenades champêtres pour préparer Noël, rempliront très bien le rôle d'arbre. Dans le sable, vous planterez facilement des petites branches, des feuilles, autant d'éléments naturels qui animeront votre paysage miniature. Pourquoi pas des bouquets de brocolis de tailles variées afin de simuler une végétation abondante. Composez des bosquets, des zones plus clairsemées. Des sapins miniatures ou d'autres petites plantes auront tout simplement l'air d'arbres dans un décor à échelle réduite. La paille, qu'elle soit vraie ou fausse, notamment celle employée par les fromagers pour présenter leurs produits, peut vous permettre de constituer une crèche encore plus vraie.

UNE RIVIERE

Creusez légèrement dans votre tas de sable un sillon peu profond pour composer le lit d'une rivière. Coulez une colle transparente ou du vernis dans ce lit en procédant progressivement jusqu'au niveau souhaité. Laissez sécher. Colorez avec un peu de peinture bleue ou verte, vous pouvez varier les tons, du plus clair au plus foncé afin de donner de la profondeur à votre rivière. Passez une dernière couche de vernis brillant.

Vos enfants ont peut-être déjà tout un bestiaire de petites figurines en plastique, pourquoi ne pas les disposer dans ce décor ?

Pour la table : la crèche dans le pain Poilane !

Achetez le plus grand pain Poilane possible (ou de campagne si vous ne pouvez vous en procurer) et creusez une grande partie de la mie afin de sculpter une grotte dans le pain où vous installerez vos petits santons. Placez à côté sur la table deux ou trois petits sapins miniatures et disposez un tas de gros sel pour simuler un sol enneigé. Ajoutez un petit lampion et vous épaterez tous vos invités !

4

Votre sapin de Noël

"Mon beau sapin, roi des forêts
que j'aime ta verdure..."

Une petite histoire du sapin : où, pourquoi, comment, depuis quand ?

Comme nous l'avons vu, la crèche a précédé le sapin parmi les symboles et le décor de Noël. Il a d'abord été question de l'arbre de Noël en général et pas particulièrement du sapin. La symbolique de l'arbre a été très rapidement favorisée par les catholiques protestants qui voyaient d'un mauvais œil l'idolâtrie induite par la crèche. Si nous observons les textes de l'église, nous constatons que l'arbre était déjà lié au sort des humains depuis bien longtemps. Présent à la chute comme à la rédemption de l'humanité, l'arbre constituait un symbole fort approprié à une fête ayant pour objet de célébrer la venue au monde du Christ sauveur.

Au Moyen Age dans les églises, le théâtre des mystères mettait en scène l'épisode de la tentation d'Eve et l'arbre de la connaissance était un sapin pourvu de pommes rouges ! Les mystères interdits, le sapin poursuivit sa carrière de symbole dans le cadre privé des demeures des fidèles. Du religieux, le symbole passait au profane. Ce qui, en réalité, n'était qu'un retour aux sources. En effet, bien avant l'avènement du christianisme, dans les sociétés païennes, l'arbre symbolisait déjà la vie, donnait lieu à des cultes divers et, comme nous le faisons nous-mêmes aujourd'hui, même si nos raisons sont en apparence différentes, nos ancêtres déposaient des offrandes aux pieds de certains arbres. Le sapin toujours vert était évidemment le plus approprié à symboliser la vie et la prospérité, celle-ci était renforcée par le geste de l'offrande. Aujourd'hui, les cadeaux que nous déposons au pied du sapin, semblent comme une manière de perpétuer ces gestes symboliques largement dénaturés par notre société de consommation.

Au cours du 19ème siècle, la coutume liée au sapin s'est particulièrement développée en Alsace et pour cause, les sapins y sont abondants. La première représentation connue date de 1806, elle a pour titre, "Le sommeil de l'enfant la nuit de Noël", il s'agit d'une gravure conservée au musée de Strasbourg. On y découvre un sapin de petite taille suspendu au plafond d'une pièce où est représenté le Christ endormi. D'Alsace, la tradition s'est répandue en Allemagne et en France. En 1837, la princesse allemande Hélène de Mecklembourg, duchesse d'Orléans, belle-fille du roi Louis Philippe fit planter le premier sapin de Noël à Paris, aux Tuileries. Mais c'est principalement à la fin du 19ème que son implantation s'établit plus concrètement (la guerre de 1870 favorisant les échanges), la France, l'Autriche puis l'Angleterre adoptèrent cet usage.

CHOISISSEZ VOTRE SAPIN

Nous avons souvent pris l'habitude de considérer le sapin de Noël comme un simple objet de décor. Il existe d'ailleurs de somptueux pastiches bien commodes même s'ils sont moins poétiques et vidés de leur sens premier, ils offrent l'avantage de servir pendant plusieurs années.

En général, il est vrai, les sapins (véritables) sont vendus coupés, ils ont donc déjà commencé à dépérir. Pourtant, si vous achetez un sapin avec des racines, (vous en trouverez à coup sûr dans les rayons habituels des fleuristes) vous pourrez tout simplement le planter dans un grand pot avec du terreau bien humidifié, vous lui assurerez une fraîcheur plus durable, son vert restera longtemps tel que vous l'avez aimé. De surcroît, votre sapin perdra d'autant moins vite ses aiguilles (ou pas du tout) ce qui vous dispensera du fatiguant balayage quotidien au pied du sapin. Au printemps, vous pourrez le replanter en terre, ce qui est plus juste d'un point de vue écologique. Si vous avez un jardin, pourquoi ne pas planter chaque année un nouveau sapin ?

Toutefois, si vous achetez un sapin coupé, vous pouvez, pour retarder la chute des aiguilles, les vaporiser de laque, celles-ci resteront solidaires des branches un peu plus longtemps. Pour préserver le sapin plus longtemps, vous pouvez aussi le fixer dans un seau plein de plâtre. Le plâtre en dégageant l'humidité qu'il contient nourrira en quelque sorte le sapin. Vous pouvez arroser le plâtre pour augmenter le dégagement d'humidité.

Les différentes sortes de sapin

L'EPICEA

C'est le plus connu, le plus courant, le sapin le moins cher aussi, et pour cause, c'est celui dont la croissance est la plus rapide. Mais attention, l'épicéa est aussi le sapin qui perdra le plus vite ses aiguilles.
L'épicéa bleu, par contre pousse très lentement, il est très cher. Ses aiguilles sont résistantes et il a l'avantage de dégager une agréable odeur.

LE SAPIN NOIR DES VOSGES

Le sapin noir des Vosges sent très bon ! Plus résistant que l'épicéa, il gardera plus longtemps ses aiguilles, mais c'est un luxe qu'il vous faudra payer, il est d'un prix plus élevé que l'épicéa.

LE NORDMANN

Le sapin des sapins, celui qui présente toutes les qualités ! Il conserve toujours ses aiguilles, pendant des mois, même après la coupe. Il est de plus très touffu, sa robe varie du vert clair au vert foncé.

DES SAPINS MINIATURE

N'oubliez pas qu'il existe des sapins miniature d'environ 25 ou 30 centimètres. Vous pouvez vous en servir pour décorer la table. Vous les trouverez chez les fleuristes ou dans les grandes surfaces spécialisées dans les produits de jardin.

NATUREL OU ARTIFICIEL ?

Evidemment, un sapin artificiel n'offre guère le charme d'un vrai. Ses avantages sont donc essentiellement d'ordre pratique et économique, vous pouvez en effet l'utiliser plusieurs années durant et vous économisez ainsi le coût du sapin pendant plusieurs années. Bien entendu il ne perd pas ses aiguilles. En général, plus petit, il est plus facile à décorer et prend moins de place. Cela dit, il est, d'une certaine manière encombrant toute l'année.

L'emplacement de votre sapin

Il n'existe pas de règles précises quant au choix de l'emplacement du sapin, cela dépend tellement de votre habitation. Mais il est préférable, pour des raisons évidentes, de le déterminer avant l'achat. Les plus grands sapins ne sont pas forcément les plus beaux, la présentation y fait aussi beaucoup, pensez-y ! Un petit sapin sur un guéridon peut être très gracieux alors qu'un grand sapin posé au sol et touchant le plafond risque d'avoir un effet envahissant. Songez aussi à la fonction du sapin qui va devenir un point de rencontre dans la maison, chacun aura envie de s'asseoir à côté du sapin pour bavarder en admirant sa décoration. Le coin du sapin va devenir un espace de convivialité. Evidemment, les sapins placés à proximité de la cheminée ne font guère long feu... à cause de la chaleur. Autrement dit le meilleur moyen de préserver votre sapin c'est de le maintenir dans une atmosphère équilibrée (ni trop sèche ni trop chaude).

VOTRE SAPIN ET SON SOCLE
Fixez votre sapin dans la souche d'un arbre d'au moins 25 cm de hauteur, ménagez un trou afin d'y enfoncer le tronc de votre sapin, voilà un socle naturel !

Le décor de votre sapin

Vous pouvez peindre votre sapin et lui donner un air précieux avec de la peinture or ou argent, mais vous pouvez aussi l'harmoniser au décor de votre maison si, par exemple, vous avez choisi une ambiance colorée pour votre réveillon, tout en rouge ou en jaune, etc. un sapin tout blanc (comme neige) pourrait être du plus bel effet sur un fond en contraste !

SAPINS MINIATURE ET DECORATION
Sur une table avec une nappe blanche, quelques sapins miniature bien disposés et quelques fruits secs à leur pied tels que noisettes, amandes, pistaches épluchées, raisins, la table deviendra une véritable évocation d'un paysage enneigé. Placez, à côté, la crèche dans un pain de campagne. Un sapin miniature vous sera vendu en pot, bien vivant ! Vous le garderez donc au-delà des fêtes de Noël. Pour lui sauver la vie vous le placerez dans un pot en terre cuite (à la place du pot en plastique obtenu à l'achat), ce sera l'occasion de décorer le pot. La peinture en aérosol est la solution la plus pratique. Le choix d'une peinture unie est le plus simple. Mais vous pouvez avoir recours aux pochoirs pour composer un véritable décor.

Réalisez des petits paquets-cadeaux miniatures que vous disposerez au pied du sapin.
Reproduisez le schéma page 90 et découpez-le dans du bristol. Recouvrez ensuite de papier-cadeau. Réalisez les mêmes petits paquets de la taille d'une boule de Noël et accrochez-les aux branches ! Voilà un sapin en fête et empli d'offrandes !

SAPINS PARES DE PERLES !
Un sapin miniature se décore aisément d'un collier de perles en plastiques. Essayez aussi les petites chaînes en plaqué or que vous avez sûrement gagnées par correspondance.

Les guirlandes

ET SI VOUS OPTIEZ POUR UN SAPIN SOBRE !
Si vous mettez le prix dans un très beau, un très grand sapin aux belles proportions élancées, peut-être n'aurez-vous pas envie de le surcharger de décor, mais simplement de l'admirer pour ses qualités propres. Une seule grande guirlande bien choisie peut alors suffire à le mettre en valeur tout en lui donnant un air de fête. Par exemple, une guirlande très longue vous permettra de souligner votre sapin dans sa hauteur si vous la disposez en spirale. Le rouge est une couleur souvent choisie parce que c'est la couleur complémentaire du vert, c'est-à-dire celle qui lui est diamétralement opposée sur la rose chromatique. Mais il va de soi que toutes les couleurs peuvent convenir si ce n'est peut-être le vert, précisément, quoique tout soit possible, c'est le moment de laisser libre cours à votre créativité.

UN SAPIN A GUIRLANDES ELECTRIQUES !
Vous préférerez peut-être le multicolore avec une guirlande électrique. Celle-ci confère toujours un caractère un peu plus magique et mystérieux au sapin, surtout s'il disparaît dans l'obscurité de la pièce entre deux clignotements des ampoules.
En ce qui concerne les guirlandes électriques quelques recommandations de prudence s'imposent. Pensez à ne pas les laisser branchées toute la nuit pendant votre sommeil ; malgré la fiabilité des installations électriques, un court-circuit est toujours redoutable. De plus, en terme de sécurité, les guirlandes bon-mar-

ché n'offrent pas toujours de très bonnes garanties. Pour les mêmes raisons, méfiez-vous d'une très longue utilisation sans interruption et n'achetez aucune guirlande ne portant pas la norme NF, garantie d'un bon branchement électrique.

DE SIMPLES GUIRLANDES DE PAPIER

Elles sont extrêmement aisées à réaliser. A l'aide d'un morceau de carton de faible épaisseur, vous pouvez confectionner un gabarit (un patron) qui vous permettra de retracer d'un trait de crayon plusieurs fois le même motif. Vous découperez dans un papier en double épaisseur voire en quadruple pour un effet encore plus baroque et selon l'épaisseur de votre papier qui peut être de toutes les fantaisies.

VITE FAIT BIEN FAIT

Le bolduc constitue un excellent moyen de décorer votre sapin très facilement. Il offre en plus l'avantage d'exister dans de très nombreuses couleurs toutes plus chatoyantes les unes que les autres. C'est la solution à retenir pour aller vite si vous avez manqué de temps pour vous organiser. N'hésitez pas à varier les largeurs.

Les boules de Noël

A la guirlande, vous pouvez associer ou substituer les boules. La légende voudrait que les boules soient nées d'une carence. Au 19ème siècle, la sécheresse ayant entraîné une mauvaise récolte, les pommes (les vertes ou rouges, celles dans lesquelles on croque) manquèrent pour garnir les sapins ; des artisans verriers auraient alors eu l'ingénieuse idée de les imiter dans le verre. Ainsi seraient nées les boules de Noël !

LA BOULE QUI SE PREND POUR UNE GUIRLANDE

Sur une boule de polystyrène, fixez l'extrémité d'une guirlande avec une épingle à tête. Enroulez la guirlande sur la boule de telle sorte qu'elle soit dissimulée, fixez l'autre extrémité avec une épingle.

BOULES NATURELLES

Vous pouvez tout simplement garnir votre sapin de pommes de pin que vous peindrez pour les mettre en valeur. Encore une fois la couleur de votre choix sera la meilleure et la couleur nature peut aussi convenir. Mais vous pouvez aussi simplement les pulvériser avec une bombe aérosol de faux givre, en vente en grande surface et dans les magasins spécialisés. Utilisez du fil de fer pour suspendre les pommes de pin aux branches ou bien des rubans de couleur.

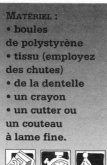

MATÉRIEL :
- boules de polystyrène
- tissu (employez des chutes)
- de la dentelle
- un crayon
- un cutter ou un couteau à lame fine.

DES BOULES FANTAISIES

Divisez la boule en 4 quartiers d'égale dimension que vous tracerez au crayon, puis incisez les limites de chaque quartier avec le cutter sur environ 5mm de profondeur (sortez la lame de quelques millimètres seulement et bloquez-la ainsi).

Découpez un morceau de tissu à la taille approximative d'un quartier et insérez-le dans les fentes de manière à tendre le tissu sur la surface du quartier. Coupez l'excès de tissu de manière à ce que les fentes ne soient pas trop emplies par l'étoffe. Répétez l'opération jusqu'à ce que la boule soit entièrement recouverte de tissu. Vous pouvez alors insérer dans chaque fente une petite bande de dentelle, soit en la tendant, soit en la laissant friser un peu. Enfin placez un fil doré ou argenté ou de couleur pour suspendre la boule.

BOULES DE PING-PONG

Le principal avantage des boules de ping-pong est leur légèreté ! Celle-ci vous autorise à les suspendre au moyen d'un simple fil, collé avec la plus ordinaire des colles. De quelques traits de crayon, dessinez un nez, une bouche, des yeux, collez un peu

balle de ping-pong

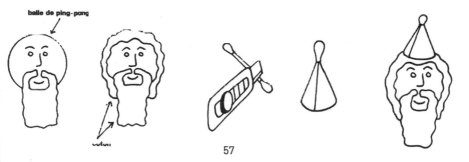

cuton

57

de coton pour faire une barbe et des cheveux, ajoutez un chapeau fait d'un cône de papier rouge dans la pointe duquel vous pourrez emboîter l'extrémité d'un coton-tige coupé court. Voilà une tête de père Noël pour animer votre sapin.

MATÉRIEL :
* du polystyrène
* un crayon
* un cutter
* éventuellement de la peinture.

L'ALPHABET OU VARIANTE DES BOULES

Dans du polystyrène, découpez des lettres que vous suspendrez à votre sapin pour écrire "Joyeux Noël !" ou encore le poème de votre choix, ou un adage. Vous pourrez même tout simplement composer un décor de lettres sans souci de signification particulière. Bien entendu avec un peu de couleur, vos lettres auront l'air en fête !

VARIATIONS DANS LE POLYSTYRENE

Dans des plaques de polystyrène découpez des formes d'étoiles, d'étoiles filantes, de sapins, des cœurs, des bottes. Peignez-les au pinceau ou la bombe aérosol, de couleur dorée ou rouge. Passez un fil avec une aiguille et attachez aux branches. Vous pouvez aussi découper des étoiles d'une manière linéaire et jouer ainsi sur les vides et la transparence ; vous aurez peut-être envie d'ajouter dans ces vides des feuilles de papier-vitrail (vous les trouverez dans les magasins de fournitures pour Beaux Arts), mais pour en savoir plus reportez-vous au chapitre 5 consacré au décor de la maison.

MATÉRIEL :
* du tulle
* une paire de ciseaux
* du ruban
* les friandises de votre choix.

POCHETTES GOURMANDES

Dans le tulle de la couleur de votre choix (il en existe de très nombreuses, même des fluorescentes), découpez des cercles d'une quinzaine de centimètres de diamètre (prenez une assiette à dessert comme gabarit). Garnissez avec vos friandises préférées, bonbons ou fruits secs (il faut qu'ils se conservent à l'air libre évitez donc le chocolat qui coulerait sur le tulle). Fermez la bourse gourmande avec un ruban fantaisie de type bolduc que vous friserez et ajoutez un petit fil doré pour l'accrochage.

BOULES DE NOEL A MANGER !

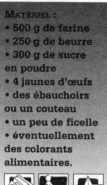

MATÉRIEL :
- 500 g de farine
- 250 g de beurre
- 300 g de sucre en poudre
- 4 jaunes d'œufs
- des ébauchoirs ou un couteau
- un peu de ficelle
- éventuellement des colorants alimentaires.

Les proportions peuvent vous paraître énormes, mais c'est précisément le genre de préparation dont on manque toujours lorsqu'on réalise un décor. Commencez par mélanger en pommade le beurre et le sucre, une fois la composition mousseuse, ajoutez les jaunes d'œufs puis la farine progressivement. Travaillez la pâte jusqu'à ce qu'elle soit homogène. C'est le moment de séparer la pâte en plusieurs parties pour ajouter les couleurs si vous le souhaitez et, par la même occasion, quelques épices différentes ; additionnez de colorant jaune et de cannelle une boule de pâte puis de gingembre moulu et de colorant rouge et de la vanille dans la pâte sans colorant. Etalez la pâte afin d'obtenir une épaisseur d'environ 1 cm. A présent, découpez les formes de votre choix, par exemple des étoiles et des cœurs, des trèfles, des piques, des carreaux, autant de formes délicieuses que vous accrocherez aux branches du sapin appétissant. Mais d'abord il faut les cuire : n'oubliez pas de faire un petit trou dans chaque biscuit afin de pouvoir y attacher un fil. Placez les gâteaux sur une plaque graissée ou recouverte de papier sulfurisé et laissez cuire 15 minutes à four chaud (180° thermostat 6).

Attachez un fil et suspendez aux branches du sapin.

• Encore un décor à déguster !

Découpez les motifs de votre choix dans des tranches de pain d'épice, passez un fil dans la mie, accrochez !

LES FRUITS EN BOULES

Pourquoi ne pas garnir votre sapin de quelques fruits frais ? Pour les suspendre, anticipez un peu et gardez précieusement les filets dans lesquels sont vendus les oranges et les citrons. Découpez un cercle de la taille d'une grande assiette et placez-y une orange. Vous refermerez avec un petit morceau de bolduc. Ajoutez un fil doré pour l'accrochage. Vous pouvez utiliser des fruits en plastique, tels qu'ils sont si vous en trouvez de très beaux (voyez chez les soldeurs) ou en les peignant si vous préférez. Il est ensuite facile de décliner. Si vous les choisissez tous très distincts par leur forme, grappes de raisin, poires, pommes, fraises, citrons, votre sapin sera décoré dans l'esprit d'une corne d'abondance. Mais vos fruits pourront encore tous être peints de la même couleur avant que vous ne les suspendiez aux branches du sapin. Vous pouvez aussi ne choisir que des oranges et réaliser ainsi autant d'ambiances colorées.

MATÉRIEL :
• du papier
• de la colle
• du fil à coudre
(un fil doré)

LA BOULE EN VOLUTES

Choisissez un papier dont les deux faces sont de qualité car elles seront en permanence visibles. Tout d'abord découpez 8 cercles de diamètres dégressifs par exemple, 10 cm, 8,5 cm, 7 cm. Découpez par ailleurs 8 cercles beaucoup plus petits (environ 2 cm de diamètre pour les 4 plus grands cercles et 1,5 cm pour les 4 petits cercles). Vous devez plier en 4 les quatre grands cercles dont vous agraferez le centre au centre d'un cercle en carton. Renouvelez cette opération avec les petits cercles que vous collerez aussi sur un disque en carton. Collez entre eux les disques de cartons ainsi parés en plaçant, entre les deux disques, un petit morceau de fil qui servira à la suspension de la boule ainsi qu'à la fixation des autres parties.

MATÉRIEL :
• du papier à dessin à grain épais
• de la peinture
(de type gouache)
• des ciseaux
• du fil doré.

PEIGNEZ LES BOULES DE NOEL EN TROMPE-L'ŒIL !

Découpez des cercles en papier dans votre papier à dessin en ajoutant un cercle tangent pour simuler l'anneau d'accrochage (mais vous passerez effectivement votre fil à l'intérieur). Divisez le cercle en registres superposés. Tracez des registres variés, en zigzag, en chevrons, en ellipse. Peignez de toutes les couleurs, mais préférez les plus vives et les tons dorés ou pailletés !

• Autre trompe l'œil !
Découpez la même forme dans du papier à dessin, recouvrez d'une couche de colle ou de vernis incolore. Saupoudrez de paillettes. Laissez sécher correctement puis soufflez sur la surface afin d'éliminer les paillettes en trop. Avec cette technique, vous pouvez aussi

réaliser des textes à suspendre dans le sapin : écrivez avec un pinceau imbibé de colle ou de vernis incolore : "Joyeux Noël", saupoudrez de paillettes...

• Toujours dans le registre du trompe-l'œil

Découpez dans des tissus de différentes couleurs et différentes textures les registres en chevrons, zigzag... et collez-les sur votre support de bristol.

MATÉRIEL :
• du papier brillant
• de la colle
• un cutter
• du fil

DES PETITS CONES DE COULEUR DANS LE SAPIN !

Découpez des cercles dans du papier brillant de toutes les couleurs. Pliez les cercles en deux et coupez-les avec une lame de cutter comme vous feriez avec un coupe-papier. Roulez ces demi-cercles sur eux-mêmes de manière à former un cône. Collez en fixant en même temps un fil de suspension.

Vous pouvez disperser sur votre sapin des petites boules de coton hydrophile blanc étiré, votre arbre aura l'air couvert de neige.

LA SYNTHESE

Composez un décor de sapin d'une seule couleur, par exemple l'or. Parez-le de boules et de guirlandes dorées. Rien d'autre. Quel luxe ! Mais vous pouvez ainsi jouer avec le blanc, l'argent.

Au chapitre décor de la maison, nous vous proposons de créer une ambiance tout en une couleur. Si dans votre salle à manger une couleur domine particulièrement, vous pouvez en réduisant au maximum le nombre d'objets d'une autre couleur composer une ambiance très originale dont l'atmosphère évoquera immédiatement le rêve. Dans ce cas, décorez votre sapin (qui peut aussi être la seule note de couleur différente) dans la couleur d'ambiance choisie. Imaginez une pièce toute blanche, sapin compris ainsi que boules et guirlandes !

MATÉRIEL :
• des pinces à dessin (ou des pinces à linge)
• de la peinture dorée en bombe aérosol
• des petites cartes

UN SAPIN AVEC DES MESSAGES

Peignez avec une bombe aérosol les pinces à dessin ou les épingles à linge pour leur donner un air de fête ! Sur des petits morceaux de bristol pliés en deux, écrivez vos poèmes et autres petits messages de circonstance. Fixez à une branche les petits cartons de bristol avec une pince à dessin ou à linge.

LES BONBONS

Ajoutez au décor de votre arbre des dizaines de bonbons de toutes les couleurs. Faites-le en cachette la nuit pour que vos enfants découvrent la magnifique et gourmande parure du sapin le jour de Noël.

LES RUBANS

Avec des petits morceaux de rubans noués au bout des branches, vous donnerez à votre sapin un air particulièrement coquet. Mélangez napperons et petits nœuds pour un sapin précieux.

MATÉRIEL :
- du papier brillant
- une paire de ciseaux ou un cutter
- de la colle

LES FAUX LAMPIONS

Coupez dans du papier brillant un rectangle à la taille de votre choix, le lampion aura bien entendu une grandeur proportionnelle à celle du rectangle. Pliez en deux le rectangle dans sa longueur. Coupez ensuite avec une paire de ciseaux ou un cutter des franges à deux centimètres du bord (pour un rectangle de 15 cm de long et 8 cm de large). Dépliez le rectangle et roulez-le sur lui-même de façon à obtenir un cylindre. Ajoutez une petite bande de papier en "anse de panier" pour suspendre votre lampion.

Vous pouvez à partir du même découpage concevoir un vrai lampion, mais il vous faudra bien sûr envisager des proportions plus grandes de manière à ce qu'une bougie puisse tenir à l'intérieur sans enflammer le lampion.

Il vous faut aussi ajouter dans ce cas un fond pour la fixation de la bougie. Tracez sur du papier bristol un cercle du diamètre de celui obtenu pour le cylindre du lampion. Complétez ce tracé de 4 tra-

pèzes répartis également autour du cercle. Découpez-le et collez, sur sa face interne, un bougeoir en plastique ou bien avec un adhésif double face, collez un de ces bougeoirs en aluminium vendu avec chaque bougie et c'est la bougie avec son bougeoir que vous changerez à l'usure.

Les étoiles du sapin

MATÉRIEL :
• une étoile
en carton rigide
• un morceau de fil
de fer rigide
• du fil de fer
souple

L'ETOILE DE LA CIME

Sur votre étoile, collez un petit morceau de fil de fer (que vous vous procurerez dans les magasins de bricolage ou de modélisme) à l'angle des deux pans

d'une branche. Fixez votre étoile à la cime en entourant un autre petit morceau de fil de fer autour de la petite tige collée à l'étoile. A l'extrémité de chaque pointe, appliquez au pinceau du vernis ou de la colle incolore et saupoudrez de paillettes. Laissez sécher et soufflez pour chasser l'excédent.

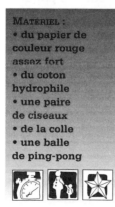

MATÉRIEL :
• du papier de
couleur rouge
assez fort
• du coton
hydrophile
• une paire
de ciseaux
• de la colle
• une balle
de ping-pong

LE PERE NOEL A LA CIME

Coupez dans du papier fort rouge un rectangle d'environ 15 cm de longueur pour 8 cm

de largeur. Reproduisez sur ce rectangle des détails comme sur la figure ci-dessus. Roulez le rectangle sur lui-même pour obtenir un cylindre. Sur la balle de ping-pong, dessinez quelques détails comme yeux, nez et bouche.

Collez une grande barbe et les cheveux matérialisés avec un peu de coton. Collez la tête du père Noël sur le cylindre qui forme le corps et enfilez-le sur la cime de l'arbre. Nouez au bas du cylindre un grand ruban afin de remplacer les chaussures par un beau nœud.

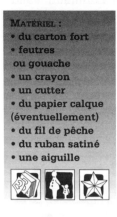

MATÉRIEL :
- du carton fort
- feutres
  ou gouache
- un crayon
- un cutter
- du papier calque
  (éventuellement)
- du fil de pêche
- du ruban satiné
- une aiguille

LE RUBAN DE LA CIME DANS LE BEC DES OISEAUX

Dessinez ou décalquez la silhouette d'un oiseau et découpez-en deux exemplaires dans le carton fort. Ils doivent être symétriquement opposés. Si vous utilisez un modèle en calque, vous n'aurez qu'à en retourner la feuille pour le second tracé. Colorez ensuite avec la solution de votre choix. Faites un petit trou avec une aiguille afin de passer un fil de suspension que vous arrêterez au moyen d'un nœud. Découpez un petit "V" dans le bec. Avec le ruban large, faites un beau nœud à la cime du sapin et ensuite préparez-vous à en fixer les extrémités dans le bec des deux oiseaux. Repérez donc la distance à laquelle il est nécessaire de suspendre les oiseaux, suspendez-les et fixez les extrémités du ruban dans leur bec. Voici une magnifique installation !

Un grand nombre des décors présentés dans les chapitres cadeaux et décor de la maison peuvent aussi être utilisés pour la décoration du sapin. Nous vous invitons par conséquent, pour décorer au mieux votre sapin, à compléter la lecture de ce chapitre par les chapitres consacrés au décor de la maison et des paquets cadeaux. Parmi ces propositions, citons, les papillotes, les paquets-cadeaux etc.

5

Le décor de la maison

Le sapin, la crèche, constituent déjà à eux seuls une grande partie du décor de Noël. Mais la maison peut, elle aussi et dans toutes les pièces, prendre un air de fête. C'est une manière de vivre vraiment Noël, un bon moyen de profiter de cette fête pour déjouer la routine monotone du métro, boulot, dodo ! Pour cela le calendrier de l'Avent peut être fort utile, il offre une sorte de "guideline" pour vous aider à déterminer le décor et le rituel autour de la fête. Au retour de l'école après avoir accompli leurs devoirs, les enfants fabriqueront des guirlandes et des étoiles, des couronnes qu'ils accrocheront ensuite dans la maison. Quel bonheur de rentrer chaque soir dans un chez-soi en fête, où scintillent les étoiles dorées, les boules de Noël, les couronnes ! Amusant de se prendre légèrement les cheveux dans une guirlande un peu basse ! Etonnant de voir le jour entrer différemment dans la maison à travers une forme de couleur découpée dans du papier-vitrail. Une année se termine, on se prépare à commencer la suivante dans la joie et la fête pour déjouer les rigueurs de l'hiver. Ecoutez des chansons de Noël et fredonnez tout en décorant la maison. Vous voyez, c'est la fête !

MATÉRIEL :
• du papier vitrail
• du papier bristol
• un crayon
à papier
• un cutter
• de la colle

Décorez vos vitres comme des vitraux !

Voici une idée de décor facile à réaliser, d'un coût dérisoire et d'un effet garanti ! Pour bien comprendre les explications qui suivent pensez à la structure d'un vrai vitrail. Procurez-vous du papier vitrail. Il est généralement vendu en cahiers d'un assortiment de pages de plusieurs couleurs. Assemblez des feuilles de papier bristol afin de composer des rectangles à la taille de vos fenêtres. Dessinez sur ces rectangles les formes de votre choix comme des

sapins, des étoiles, des feuilles, des pères Noël de profil. Vous pouvez organiser votre décor avec une grande liberté mais ayez en tête qu'il faut conserver entre chaque forme un minimum de 1 cm, c'est-à-dire une structure équivalente à celle des supports de plomb du vitrail. Par ailleurs, il faut tenir compte de la lumière, souhaitez-vous conserver le maximum de lumière ? Dans ce cas découpez le plus grand nombre possible de motifs dans le format imparti en considérant la règle de fixation énoncée.

Découpez ensuite ces formes et surtout ne les jetez pas ! Au contraire, utilisez-les comme modèles pour tracer sur le papier cristal. Mais attention, ne découpez pas à la taille exacte, ajoutez 5 mm pour le collage.

Si au contraire, vous souhaitez diminuer l'intensité de lumière, vous pourrez créer un nombre réduit de motifs pour chaque vitre. L'effet sera d'autant plus spectaculaire puisque la lumière ne viendra plus que par ces surfaces réduites.

MATÉRIEL :
• du papier décoratif
• de la colle ou du ruban adhésif double face

Nœuds de noël en papier

Dans le papier de votre choix (décoré ou à décorer), coupez 16 bandes de papier d'égale longueur, 16 cm, et d'égale largeur, 2 cm et pliez-les comme indiqué sur l'illustration. Réunissez par quatre les rubans pliés en les agrafant et superposez les étages d'étoiles ainsi obtenues en disposant les branches en quinconce. Vous pouvez varier les couleurs d'un rang à l'autre ou composer des nœuds unis. Changez aussi les longueurs des branches, 2 par 2 ou par étages entiers.

NŒUDS DE NOEL, AUTRE VERSION

Une autre façon encore plus rapide pour réaliser des nœuds : déroulez une grande longueur d'un rouleau de ruban en la repliant sur elle-même de façon à former une sorte de serpentin. Maintenez les plis entre le pouce

et l'index. Vous couperez vous même à la longueur finale de votre choix après avoir agrafé le centre du nœud.

Les étoiles dans la maison

MATÉRIEL :
• du papier brillant épais
• une feuille de papier calque
• une équerre ou un rapporteur
• un cutter.

LA MAGNIFIQUE ETOILE EN RELIEF !

Sur une feuille de papier calque, tracez un triangle équilatéral avec des angles de 60°. Reportez deux fois ce triangle sur un morceau de carton de manière à créer le motif d'une étoile à 6 branches. Découpez ce gabarit rigide et reportez-le sur des papiers de couleurs lisses ou des papiers métallisés, ces derniers sont particulièrement géniaux pour un décor de Noël.

Découpez vos étoiles et pliez chaque branche selon son axe de symétrie. Pliez aussi l'étoile en deux selon toutes les combinaisons possibles. Pour réaliser des plis parfaits, incisez très légèrement avec un cutter le long d'une règle avant de plier. Vous devez obtenir une étoile en relief d'un côté, en creux de l'autre. Avec une aiguille passez un fil, nouez-le, puis accrochez vos étoiles aux lustres de la maison, au plafond. Plus vous placerez d'étoiles dans un même espace et plus l'effet sera merveilleux.

DEUX ETOILES L'UNE DANS L'AUTRE

Ne jetez pas vos triangles sur papier calque. Tracez à nouveau des étoiles à 6 branches sur le papier bristol de votre choix. Faites une fente au bord et au milieu d'une branche jusqu'au centre de l'étoile. Répétez l'opération sur une autre étoile. Encastrez une étoile dans l'autre. Passez un fil pour l'accrochage.

MATÉRIEL :
• du papier décoré
• un crayon à papier
• une règle graduée
• une paire de ciseaux

L'ETOILE QUI SE DEPLIE

Utilisez un papier assez rigide mais facile à découper avec des ciseaux. Dans des feuilles de papier brillant, découpez des carrés de la taille qu'il vous plaira. Pliez ces carrés selon les diagonales. A la seconde diagonale, vous obtenez un triangle, repliez 2 fois en formant des triangles de plus en plus petits que vous rabattez les uns sur les autres. Placez à votre gauche le côté pli (qui ne s'ouvre pas). A partir du côté qui se trouve à votre droite découpez un triangle isocèle. Sur le côté qui se trouve à votre gauche (côté pli), découpez un petit triangle ou même un cercle, l'effet portera sur la partie intérieure de l'étoile. Ouvrez le pliage-découpé, fixez vos étoiles avec des morceaux de ruban adhésif double face (sur un support peint), avec une aiguille (sur une moquette murale ou de la paille japonaise), avec de la gomme mie de pain (sur de la tapisserie).

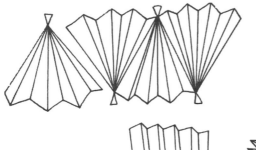

Les guirlandes dans la maison

MATÉRIEL :
• du papier
• un crayon
• une paire
de ciseaux

GUIRLANDES DE PERES NOEL

En découpant un motif dans plusieurs épaisseurs de papier d'une même feuille repliées sur elle-même, dont le bord plié est aussi un bord de votre dessin, vous obtenez une guirlande de personnages enchaînés.

MATÉRIEL :
• du papier pelure
• de la colle
• une paire
de ciseaux

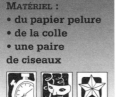

GUIRLANDES D'ETOILES EN PAPIER PELURE !

Découpez beaucoup d'étoiles à 6 branches identiques dans du papier pelure. Assemblez-les deux par deux en ne collant qu'une branche sur deux. Puis assemblez les paires d'étoiles en les collant par les branches restées libres. Pour plus de solidité, fixez à chaque extrémité une étoile en carton plus rigide.

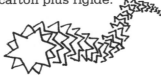

GUIRLANDES D'ANNEAUX !

Découpez un très grand nombre de bandes d'environ 20 cm X 4 cm dans du papier métallisé de toutes les couleurs qu'il vous plaira. Pour gagner du temps, agrafez plusieurs feuilles ensemble avant de les découper avec un cutter (placez sous vos feuilles une plaque de métal ou de carton épais). Collez à une extrémité de chacune des bandes un morceau de ruban adhésif double face. Formez une boucle avec une première bande en collant les deux

extrémités avec l'adhésif double face, puis poursuivez en enchaînant anneaux et couleurs. Mesurez votre patience au nombre d'anneaux de votre chaîne.

MATÉRIEL :
• du papier crépon (2 rouleaux de couleur différente)
• de la colle

GUIRLANDES BICOLORES

Dans du papier crépon, coupez deux bandes de couleur différente, de même longueur (à vous de voir) et de même largeur (à partir de 6 cm). Placez les deux bandes perpendiculairement et collez l'extrémité de l'une sur l'autre, bord à bord. Pliez tour à tour les deux bandes l'une sur l'autre jusqu'à la seconde extrémité, collez à nouveau. Attendez le parfait séchage de la colle (voir notice du fabricant pour le délai avant manipulation), puis étirez légèrement la bande en la tendant, demandez à quelqu'un de tenir une extrémité et tenez l'autre, tendez.

MATÉRIEL :
• du fil de fer
• des guirlandes (soit celles du commerce, soit les vôtres)

DES GUIRLANDES DE TOUTES LES FORMES

Avec du fil de fer, si vous n'en avez pas utilisez de vieux cintres en métal. Composez des structures de toutes les formes. Des étoiles, des sapins, des cercles. Torsadez des guirlandes sur ces structures. Fixez-les par quelques points de couture et accrochez-les dans la maison.

Faites des couronnes d'avent !

Il existe une solution très simple pour réaliser une couronne d'avent en utilisant si vous l'avez déjà un petit suspensoir en plastique pour le linge. C'est un cercle sur lequel vous pourrez aisément fixer des guirlandes, des branches de sapin et de houx, des boules de Noël, toutes les décorations que vous réaliserez vous-même et celles que vous pourrez acheter prêtes à briller. Vous trouverez dans les magasins de fournitures pour Beaux arts des couronnes de polystyrène qui consituent des supports pratiques pour composer vos propres couronnes !

Vous pourrez enrouler des guirlandes de toutes les couleurs, par exemple : une verte, une rouge, une autre dorée. Fixez-les tout simplement avec des épingles. Ajoutez des feuilles de houx. Ou bien des boules.

Ou les deux ! Nouez des rubans ! Piquez des fleurs séchées ! Lancez un concours à la maison avec les enfants, chacun réalise sa couronne, c'est à qui sera le plus créatif ! Enroulez des rubans de satin, de velours ou de bolduc. Superposez les couleurs et composez des alternances.

MATÉRIEL :
• une couronne en polystyrène
• des supports en plastique pour bougies
• des branches de houx, de sapin, de gui

UNE COURONNE DE LUMIERE AVEC DES BOUGIES

Préparez dans la couronne des emplacements aux dimensions des supports de bougies. Vous pouvez utiliser pour cela, soit un cutter soit n'importe quelle lame chauffée. Idéale, la lame chauffée réclame une grande dextérité et donc une certaine habitude, entraînez-vous sur des chutes. Une fois les bougies installées, vous pouvez procéder à l'installation du décor. Disposez vos branches de feuillage sur la couronne de telle sorte que celle-ci disparaisse, ainsi que les supports de bougies. A partir de la couronne obtenue, plusieurs solutions de finition s'offrent à vous. Nous en avons choisi quelques-unes, les voici.

Ajoutez, pour la fixation, du fil doré ou argenté que vous nouerez en 4 points d'égale distance sur la couronne et dont les brins se rejoindront au dessus de la couronne à la distance de votre choix et au centre "virtuel" de la couronne. Faites-en autant mais cette fois avec un ruban large que vous nouerez en de grands nœuds à chaque point d'attache sur la couronne. Ensuite, vous pouvez ajouter des boules de Noël de votre choix ou encore des étoiles.

MATÉRIEL :
• du polystyrène (1 cm d'épaisseur maximum)
• un crayon
• un cutter
• du fil
• des œillets éventuellement
• de la peinture.

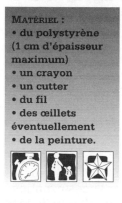

LA COURONNE
POUR LES TOUS PETITS ENFANTS.

Dans le polystyrène, tracez un cercle de 30 cm de diamètre intérieur et 35 cm de diamètre extérieur. Avant de le découper, tracez 2 diamètres se coupant à angle droit en marquant le dessous du cercle 4 fois à égale distance. Découpez deux bandes de 60 cm de long environ sur une largeur de 4 cm. A chaque extrémité faites un pli à 3 cm du bord. Fixez ce pli avec de la colle ou du ruban adhésif double face sur le cercle aux 4 marques préalablement tracées. Avec la pointe d'un compas faites un trou au milieu des bandes de papier. Enfilez dans ce trou une boucle de fil. Pour que le trou soit plus résistant ajoutez des œillets autour de part et d'autre.

Tracez 8 rectangles de 12 cm sur 2,5 cm. Dans 4 d'entre eux faites un pli à 2 cm du bord. Avec un cutter faites une fente au milieu dans la longueur sur 4 cm de long en partant du bord. Fixez ces 4 pièces sur la couronne. Avec les 4 autres rectangles préparez les bougies. Sur une extrémité tracez la flamme, découpez autour et peignez là. A l'autre extrémité réalisez la même fente que précédemment, au milieu dans la longueur sur 4 cm de long en partant du bord.

Vous n'avez plus qu'à emboîter vos bougies sur leurs supports ! Compliquez un peu, mais faites encore mieux !

Coupez des bandes de papier (environ 4) de 10 cm de long et 2 cm de large, choisissez de préférence du papier doré ou argenté ou de la couleur de la guirlande que vous allez choisir. Fixez ces bandes sous la guirlande à égale distance les unes des autres. Passez une guirlande dans ces boucles.

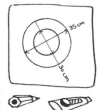

LA COURONNE DE FRUITS

MATÉRIEL :
• une couronne
de paille
• des fruits
en plastique
(pommes, raisins,
oranges, citrons)
• du ruban
• des branches
de houx, de sapin
ou de gui
• peinture
éventuellement.

Vous pouvez peindre les fruits en plastique avec de la peinture en aérosol ; en blanc et à une grande distance par rapport à celle indiquée sur la bombe, vous créerez un effet de givre. Il existe aussi des aérosols imitant le givre. Pour donner un air de fête plus marqué et accentuer l'aspect décoratif, vous peindrez les fruits en doré ou en argenté, mélangez les deux si vous aimez. Si vous choisissez cette dernière solution, ajoutez un peu de feuillage vert, qu'il soit en plastique, réel ou imité par vos soins dans du papier.

En ce qui concerne les fruits, vous aurez la possibilité de varier à souhait, jouez sur les couleurs de raisins, blanc et noir, sur les alternances oranges - citrons. Dans tous les cas agrémentez de rubans. Une belle idée consiste à placer sur la porte de chaque pièce une couronne. Adaptez la couronne à la personnalité des enfants ou tout simplement, installez-la sur la porte de la chambre d'un enfant.

LA COURONNE COMESTIBLE

Vous composerez son décor essentiellement avec des fruits secs tels que les dattes, les figues, les abricots, les pâtes de fruits et aussi tous les petits cubes des mélanges exotiques qui ne paraissent pas a priori de saison, mais apporteront des couleurs, des nuances différentes. Vous ajouterez pour la fraîcheur une branche de houx, de sapin ou de gui. Fixez les fruits secs avec des pique-olives. Pour plus de couleurs encore et un effet de saison plus marqué, ajoutez des pâtes de fruits. Recommandez aux enfants de ne pas les déguster trop vite, ni le soir après qu'ils aient lavé leurs dents !

Vous pouvez aussi demander à votre boulanger de vous faire une couronne de pain pour piquer vos décors.

LA COURONNE FRISEE TOUTE EN BOLDUC

Matériel :
- une structure de couronne en polystyrène
- du ruban de bolduc de différentes couleurs

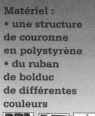

Coupez un grand nombre de morceaux de ruban de bolduc d'une vingtaine de centimètres. Frisez-les comme indiqué p...xx puis piquez-les avec une épingle sur la structure en polystyrène.

Plus les couleurs seront nombreuses plus l'effet sera réussi !

Cette couronne très facile à réaliser sera un véritable feu d'artifice où que vous la placiez !

LA COURONNE ETINCELANTE

MATÉRIEL :
- une structure de couronne en polystyrène
- une guirlande dorée ou argentée
- des brins de cure-pipe
- du tulle

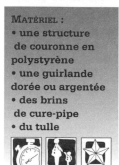

Choisissez cure-pipe et tulle de la même couleur. Torsadez la guirlande autour de la structure de couronne de manière à la recouvrir complètement. Fixez avec quelques épingles à tête.

Disposez à votre convenance 4 ou 8 petits nœuds de tulle : coupez des petits carrés de tulle de 10 cm de côté, tordez-les en diagonale et attachez-les sur la couronne avec le cure-pipe en torsadant celui-ci. Cette guirlande a un caractère très traditionnel, elle conviendra très bien au-dessus de la cheminée pour composer un décor de Noël d'un grand classicisme !

LA COURONNE FLEURIE

MATÉRIEL :
- une couronne en paille
- des fleurs séchées
- un morceau de tulle blanc

Collez vos fleurs sur la surface de la couronne en disposant de temps à autre un morceau de tulle sous les fleurs.

Recouvrez toute la surface, mais vous pouvez éventuellement ne pas recouvrir la partie arrière de la couronne qui sera placée sur une surface comme une porte ou

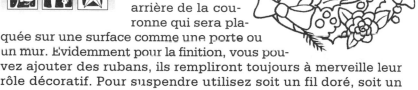

un mur. Evidemment pour la finition, vous pouvez ajouter des rubans, ils rempliront toujours à merveille leur rôle décoratif. Pour suspendre utilisez soit un fil doré, soit un ruban assez fin. Quoiqu'il en soit, n'oubliez pas qu'une couronne c'est aussi un beau cadeau ! D'ailleurs vous pouvez décorer de petits paquets-cadeaux une couronne de sapin. Reportez-vous au chapitre cadeaux pour la technique de réalisation. Puis, suspendez les petits paquets à la couronne qui, dans ce cas sera plus logiquement suspendue, à un lustre, au plafond...

Réalisez vos cartes de Noël

Depuis l'avènement du téléphone, Noël est avec le jour de l'an, le moment de l'année où nous envoyons le plus de cartes postales. Lancez-vous et réalisez vous-même vos cartes de vœux.

MATÉRIEL :
• du papier rouge d'un côté, blanc de l'autre
• du papier cadeau moucheté de blanc sur fond bleu
• du bristol
• du coton hydrophile

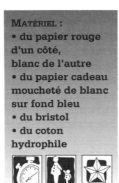

EXPEDIEZ VOTRE PERE NOEL !

Pour le fond, si vous n'avez pas de papier moucheté de blanc sur fond bleu, fabriquez un pochoir facilement en perforant une feuille de papier assez rigide à l'aide d'une perforeuse de bureau. Pour réaliser le père Noël, il vous faut découper un triangle quelconque dans le papier rouge et blanc. Coupez-le en deux parties inégales, l'une petite formera le chapeau, l'autre le corps du père Noël. Retournez le bord inférieur du chapeau et rabattez la pointe vers le bas d'un côté ou de

l'autre. Collez le chapeau sur la carte. Esquissez la tête du père Noël afin de placer le corps un peu plus bas. Découpez en demi-cercle le plus petit côté du trapèze (le triangle privé de sa pointe) et repliez-en les bords de sorte qu'une bande blanche apparaisse au milieu du vêtement. Dessinez avec plus de détails la tête du père Noël et ajoutez la barbe avec un peu de colle et de coton hydrophile. Collez la hotte du père Noël : découpez un petit triangle, rabattez un des côtés et collez.

MATÉRIEL :
• une feuille de papier bristol blanche
• une feuille de papier pelure
• de la colle.

REALISEZ UNE CARTE EN TROIS DIMENSIONS !

Pliez en parties égales la feuille de papier pelure et répétez l'opération jusqu'à ce que vous obteniez un petit rectangle de la taille de la carte de votre souhait. Plus il y a d'épaisseurs, plus l'effet sera réussi. Dans ce rectangle, découpez la silhouette d'un sapin. Vous obtenez de fait plusieurs arbres. Il s'agit de les coller les uns sur les autres au centre de la carte, avec juste un point de colle le long du "tronc" pour chaque épaisseur de sapin. Il faut que le milieu de l'arbre corresponde au milieu de la carte.

METTEZ EN VALEUR LES CARTES DE VŒUX DE VOS AMIS

Pourquoi ne pas composer un tableau avec toutes ces cartes postales ? Peignez à distance un nuage de peinture dorée sur une plaque de liège afin de lui donner un éclat particulier. Encadrez d'une guirlande que vous fixerez facilement avec des petites punaises (choisissez vos punaises de la même couleur que la guirlande). Placez au dos des attaches triangulaires adhésives que vous trouverez dans n'importe quelle grande surface afin de suspendre votre tableau de "vœux" où il vous plaira.

Et encore des idées...

MATÉRIEL :
• du papier bristol
• un crayon
• une paire
de ciseaux
• un fil
de suspension.

LA SPIRALE INFERNALE A SUSPENDRE SOUS VOS LUSTRES !

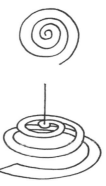

Découpez un disque dans du papier de type bristol, il est préférable qu'il soit assez rigide. Tracez une spirale dans ce disque et découpez-la. Laissez au centre un cercle assez grand pour y ménager un trou dans lequel vous passerez un fil afin de suspendre la spirale.

MATÉRIEL :
• une pomme
ou une pomme
de terre
• un couteau de
cuisine bien affûté
• de la gouache.

IMPRIMEZ VOS DECORS EN UN TOUR DE MAIN !

Dans une pomme ou dans une pomme de terre découpez en relief (c'est-à-dire autour de votre motif) la forme de votre choix, celle d'une étoile, la silhouette d'un sapin ! Une bougie, un champignon ! Vous obtenez ainsi un tampon prêt à imprimer ! C'est de la patatogravure ! Ou de la pommogravure ! Mouillez la surface du tampon avec un peu d'encre ou de gouache et tamponnez sur le support (absorbant) de votre choix. Vous pouvez répéter à souhait le motif ainsi obtenu ! Vous pouvez décorer ainsi vos paquets cadeaux, vos nappes...

6

Le décor de la table et des plats

Le décor de la table

La table et son décor vont conditionner l'ambiance de la fête de manière assez déterminante. Prenons un exemple. Si vous disposez sur la table des cotillons, des confettis et des serpentins de couleur, vous incitez les convives à jouer, à utiliser les tubes de carton pour lancer des cotillons, vous induisez un comportement dynamique et un esprit de jeu très animé. En revanche, si vous placez sur la table des petits rouleaux de papier contenant des devinettes, vous suscitez une relation d'échange entre les convives beaucoup plus calme. De la même manière, on peut facilement imaginer les convives de la première table pousser les meubles après minuit pour danser la samba ou s'amuser aux chaises musicales. Tandis que les protagonistes de la seconde table, savoureront peut-être davantage un alcool fort, prêt du feu de cheminée, dans une lumière tamisée. Préférer l'une ou l'autre ambiance est affaire de goût, l'important c'est de ne pas rêver de l'un en mettant l'autre en scène.
Dresser la table est une expression qui nous vient du Moyen Age lorsque la table était constituée d'une planche de bois reposant sur des tréteaux. A chaque repas la table était effectivement dressée. Cette expression se vérifie parfois encore aujourd'hui, quand

la table de tous les jours devient trop petite et qu'on installe sur des tréteaux la table de la fête. Cette table, et en particulier pour Noël, nous la voulons gaie, spacieuse, accueillante et il nous faut autour d'elle trouver tout le bien être possible. La table de Noël c'est vraiment l'espace de la fête, celui des rencontres, entre les convives, avec les plats raffinés. Les membres de la famille, souvent éloignés dans la vie de chaque jour et réunis à cette occasion, se retrouvent après si longtemps autour de la table. L'autre rencontre, celle des plats est aussi celle à travers laquelle chacun peut communiquer son enthousiasme, son plaisir, sa surprise, son savoir, son bonheur d'être là et de tenter de faire plaisir en se faisant plaisir.

Aussi pour que la table soit belle et la fête réussie, il faut investir dans un peu de temps et quelques idées. Nous avons réuni ici les idées, à vous de trouver le temps. Dans ce chapitre, de nombreuses astuces vous seront d'un grand secours pour provoquer l'enchantement de vos invités à la découverte de la table, en même temps que le vôtre. Nous avons aussi pensé qu'il vous serait utile de retrouver les règles de base dans l'art de la table, mais n'oubliez pas que celles-ci sont toujours mises en valeur par les exceptions qui les confirment. A vous de jouer !

Rappelons ici quelques données de base sur les composantes d'une table bien dressée.

Tout d'abord, l'espace

Inviter est un plaisir, aussi parfois nous lançons les invitations sans compter et, au moment de dresser la table, bien souvent commence l'angoisse, la table est-elle assez grande pour recevoir tous les invités ?

Pensez qu'il faut au minimum 50 cm par convive pour que personne n'ait à jouer des coudes ce qui est extrêmement désagréable, ne l'oubliez pas. Il faut aussi dans la mesure du possible que chaque convive puisse facilement se déplacer.

Les assiettes

Elles sont généralement au nombre de 2, l'assiette creuse sur l'assiette plate, mais vient ensuite l'assiette à dessert qui arrive à table en même temps que lui. Vous pouvez ajouter une assiette de présentation, très large et particulièrement plate elle reste à table durant tout le repas. Elle remplace le set de table. Ajoutez aussi si vous le souhaitez une assiette à pain. C'est la plus petite de toutes, elle est habituellement placée à gauche du convive. Vous pouvez l'accompagner d'un couteau à beurre.

Les couverts

Sont disposés de part et d'autre des assiettes selon des principes très simples : les fourchettes doivent toujours être placées à gauche, les couteaux à droite, tranchant vers l'assiette. Les couverts utilisés pour le premier plat sont placés à l'extérieur. Vous commencerez donc par installer les couverts du plat principal, puis ceux des hors-d'œuvre précédés éventuellement des couverts à poisson. Les couverts à dessert sont placés au-dessus de l'assiette.

Les verres

A chaque boisson son verre. A chaque plat sa boisson. Le choix des verres dépend donc en grande partie de votre menu.
Il est d'usage de placer les verres en haut à droite de l'assiette, ce qui se comprend pour un individu droitier ; ensuite la disposition des verres dépend encore du menu. Bien que généralement on enchaîne verre à eau, verre à vin rouge, à vin blanc, à dessert, vous pouvez, en tenant compte du menu, placer le verre à vin blanc avant le verre à vin rouge si vous servez d'abord une entrée de poisson par exemple.

DES VERRES ET DE LEURS DIFFERENTES FORMES
La forme consacrée à un verre dépasse le simple souci du design. La forme remplit ici une fonction. Nous savons tous qu'il est préférable d'ouvrir une bonne bouteille de vin rouge une heure avant de la consommer. Ceci, parce que le contact de l'air et plus particulièrement de l'oxygène est bénéfique au vin rouge. C'est exactement le contraire pour le champagne et c'est la raison pour laquelle les formes des verres réservée à ces alcools sont différentes. Ainsi le vin rouge s'épanouit et donne toutes ses saveurs dans un verre largement ouvert, rempli seulement à moitié pour laisser l'oxygène pénétrer. Le vin blanc, lui, reste frais plus longtemps dans un verre étroit. Le même principe s'applique au champagne, il reste frais plus longtemps s'il est servi dans une flûte. Mais ses bulles s'échappent plus vite dans une coupe largement évasée. Affaire de goûts. Bien entendu l'eau se consomme tout simplement dans le plus grand de ces verres, tous de type verre ballon (ou ballon fantaisie), excepté pour le champagne.

POUR LA FETE DECOREZ VOS VERRES !
Entourez autour du pied de la chenille cure pipe. Ces fils de fer velus existent en plusieurs coloris très vifs. Vous pouvez enrouler plusieurs fils de couleurs différentes sur le même verre. Ces

fils existent aussi en doré et en argenté. Vous pouvez aussi utiliser ce truc pour attribuer une couleur à chaque convive. Pensez aussi éventuellement à placer des petites étiquettes joyeuses au pied des verres, avec le nom de la personne et Joyeux Noël !

La nappe

Qu'elle soit en papier ou en tissu, la nappe constitue la surface du décor, un espace de projection pour toutes vos décorations. Les cubistes comme Georges Braque l'avaient bien compris. Procédez inversement, faites-vous artiste et considérez donc votre table avec sa nappe comme une toile de fond pour composer votre œuvre. Si la nappe en tissu, très belle, évoque les tables de fêtes luxueuses, la nappe en papier peut offrir plus de place à la fantaisie.

Toutes les combinaisons sont possibles entre nappe unie et vaisselle de couleur et vice versa, nous vous proposerons donc quelques exemples, des choix possibles à partir desquels vous inventerez les vôtres.

DU NEUF AVEC DU VIEUX

Vous avez l'habitude d'utiliser une très belle nappe en tissu que vous tenez de votre arrière grande tante. Elle est un peu défraîchie, mais c'est plus fort que vous, vous ne pouvez ni vous en séparer, ni même la laisser de côté dans un placard, même si elle vous semble vraiment rengaine. Situation inextricable ? Mais non ! Relookez-la !

Découpez dans du tissu rouge ou vert, par exemple de la feutrine, des guirlandes de personnages, vous n'aurez qu'à les coudre ensuite sur les pans de la nappe pour composer des décors en frises mais avec juste assez de points pour que cela tienne ! Vous n'aurez ainsi aucun mal à changer de décor.

ENCORE PLUS SIMPLE

Dans un magasin pour jardins ou de bricolage, achetez du plastique transparent vendu au mètre de manière à en faire une seconde nappe. Disposez sur votre nappe fatiguée des motifs décoratifs plats, petits sapins en plastique, pères Noëls, étoiles. Ou mieux encore, découpez vous même vos motifs dans des papiers imprimés gais ou dans de vieilles cartes postales. Recouvrez avec la nappe en plastique transparent et le tour est joué votre table est déjà joyeuse et prête pour la fête !

Les sets

MATÉRIEL :
• du papier
d'au moins
deux couleurs
• une règle
graduée
• un crayon -
un cutter
• de la colle
de bureau

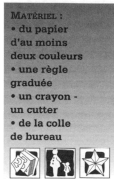

TRESSE OR OU ARGENT

Vous découperez des bandes de papier de chaque couleur choisie afin de les tresser entre elles. Considérons que les bandes argentées formeront la largeur du set et les bandes dorées la longueur. Coupez toutes les bandes selon les proportions suivantes (à titre d'exemple) : 1 cm de largeur pour toutes les bandes, 25 cm de longueur pour les bandes argentées, 40 cm de longueur pour les bandes

dorées. En croisant les bandes à angle droit dessous-dessus, dessus-dessous, vous composerez votre set. Vous collerez les bords avant de poursuivre le tressage. Vous pouvez aussi découper des fentes à l'intérieur d'une feuille de papier dans les proportions déjà proposées, mais en prenant soin de garder la feuille d'une seule pièce. Ajoutez dans cette feuille les bandes verticales ou horizontales toujours selon le principe dessus-dessous, dessous-dessus. Fixez éventuellement avec un point de colle aux extrémités de chaque bande.

MATÉRIEL :
• du papier brillant
de couleur
• du papier bristol
• du tulle
• du fil à coudre
• une aiguille

LES SETS POUR LA TABLE DES ENFANTS

Découpez un cercle de 40 cm de diamètre dans un morceau de tulle (à vous de voir pour la couleur, le grand classique c'est par exemple un tulle rouge sur du papier vert.) Découpez dans le papier bristol et dans le papier de couleur 2 cercles de même taille, environ 35 cm de diamètre, collez-les l'un sur l'autre. Fixez-les au cercle de tulle par quelques points de couture. Découpez des étoiles filantes et des étoiles, des croissants de lune et des sapins dans des papiers brillants. Collez-les. C'est fini !

MATÉRIEL :
• du papier
à dessin à grain
fort ou du bristol
(format standard
30 X 40 cm)
• du papier
de couleur
(à vous de choisir)
• un cutter
• un crayon
• une règle
• de la colle

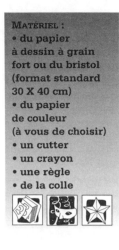

LES SETS ETOILES !

En 3 coups de crayon, 3 coups de cutter et un collage !

Coupez une feuille de papier de couleur brillant selon les dimensions 30 cm par 40 cm.

Tracez des étoiles à 5 branches dans les coins supérieurs de cette feuille de papier de couleur brillant.

Découpez la forme obtenue au cutter.

Collez cette feuille sur la feuille de papier à dessin ou bristol.

Les menus

Soigner le décor de la table et la présentation des plats sans "éditer" un menu, ce serait se priver d'un grand plaisir, nous voulons parler de ce plaisir qui commence avec les mots avant de s'épanouir dans la bouche, une recette a une existence bien avant d'être dans notre assiette car elle se nomme et ce nom qui nous fait saliver participe du succès de la cuisine. Dans ce guide, nous vous avons proposé des recettes dont les titres particulièrement inventifs constituent à eux seuls toute une histoire, vous vous amuserez avec le nom des mets, vous en jouerez...

Alors n'hésitez pas à en faire un plat et composez des menus sur de simples cartes de Noël déjà décorées ou sur des cartes de votre invention. Ecrivez vos menus sur des petits papiers de couleur et enroulez-les sur eux-mêmes. Nouez avec un petit morceau de ruban comme le bolduc, ou du ruban de velours. Placez un menu pour tous les convives sur un lutrin. Ne manquez pas d'enrouler une guirlande sur le pied du lutrin. Piquez des feuilles de houx sur les coins de la page de menu. Vous pouvez aussi fixer

une guirlande de perles tout autour du lutrin avec des petits clous. Vous trouverez les guirlandes de perles en vente au mètre dans les magasins fournitures de Beaux arts.

Les serviettes

Pouvons-nous imaginer de faire un repas sans serviette ? Qu'elle soit en tissu ou en papier nous en avons toujours besoin et si elle nous manque, nous la réclamons ! Nous ne la coinçons plus dans le col de la chemise, cette manière est réservée aux enfants, ils ont la permission... et même la recommandation de la mettre autour du cou. C'est plus prudent. Les adultes la posent sur les genoux, c'est plus digne, quoique dans certains restaurants réservés aux fruits de mer et crustacés, il est possible que l'on nous propose ou que nous puissions exiger une sorte de tablier-bavoir très désuet et qui nous semble anachronique bien que ce tablier ait le pouvoir de protéger complètement la robe ou le costume de soirée, nous le négligeons et préférons des frais de dégraissage à un déguisement dont nous avons le sentiment (mal fondé ?) qu'il nous ridiculise !

Nos serviettes sont souvent coordonnées à nos nappes et simplement pliées à côté de chaque assiette au moment de passer à table. Ce petit bout de tissu paraît si banal, si naturel que nous y pensons juste pour le réclamer quand il vient à manquer.

Cette nouvelle habitude nous fait oublier que la serviette n'a pas toujours été de mise et qu'elle a subi beaucoup de vicissitudes à travers les âges.

Les Romains, très raffinés, la connaissaient, autant d'ailleurs pour s'essuyer la bouche que pour en envelopper et emporter les restes. Puis, elle disparaît, jusqu'au début du Moyen Age, pas de serviette. Sur la nappe, une longue bande de toile court le long de la table sur les genoux des invités : c'est la "longuière", dont on se sert pour s'essuyer les mains et la bouche.

Un peu plus tard, les serviettes sont accrochées au mur de la pièce comme des torchons et où on vient s'essuyer la bouche, deux fois, avant et après le repas. A l'aube de la renaissance, la ville de Reims offre à Charles VIII pour son couronnement, quatre douzaines de serviettes en tissu damassé, spécialité de la ville inspirée par l'Italie tant à la mode depuis les " campagnes d'Italie". Qui n'a pas sa serviette individuelle est débranché, rustre, on les porte sur le bras ou sur l'épaule comme le font de nos jours les serveurs...

Plus tard dans le 16ème siècle, sous le règne du roi Henri III arrive la mode des fraises, ces monumentales collerettes empesées autour du cou qui contraignent à se protéger avec de grandes serviettes nouées autour du cou. Avec le roi soleil disparaissent les collerettes et la dernière élégance consiste à poser la serviette sur les genoux. Ce qui se fait toujours, depuis, de la même façon ! Mais c'est au 18ème siècle que se développe l'art de la serviette pliée qui sert désormais aussi pour décorer la table.

EN PAPIER

Vous les changerez souvent au cours du repas. Vous pourrez ainsi créer un effet de surprise en changeant de couleur à chaque mets. Jouez des couleurs vives !

Mais pour une telle fête, vous préférerez peut-être les serviettes en tissu. Dans ce cas, vous pourrez les plier de différentes façons et elles pourront elles aussi participer au décor. Il est plus facile de réussir ces pliages avec des serviettes amidonnées. Vous trouverez de l'amidon dans les drogueries, il faut ensuite laisser tremper les serviettes (ou tout le linge à amidonner) dans de l'eau additionnée d'amidon.

LE CERF-VOLANT

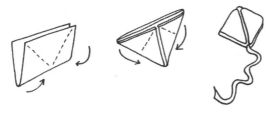

Pliez la serviette en 2. Ramenez les bords inférieurs (côté plis) le long du bord supérieur de façon à obtenir un grand triangle.

Pliez ensuite les angles inférieurs en les rabattant sur le sommet de sorte que la serviette forme devant vous un carré sur la pointe. Ajoutez une traîne avec un petit ruban de velours ou de bolduc.

LA CRAVATE

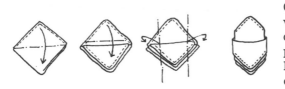

Commencez par plier votre serviette en quatre. Placez les pointes libres vers le haut. Pliez une seule épaisseur de la pointe supérieure en la rabattant sur la pointe inférieure. Répétez l'opération avec la seconde épaisseur de tissu, mais en arrêtant la pointe avant l'extrémité de l'épaisseur précédente. Repliez les angles droit et gauche afin d'obtenir un rectangle. Placez votre cravate dans le verre à eau.

LE SAC À MALICE

Pliez d'abord votre

serviette en 4. Rabattez 3 des coins de la serviette (côté plis) vers le centre de manière à obtenir une forme d'enveloppe. Rabattez une seule épaisseur du triangle supérieur vers le centre. Garnissez de friandises.

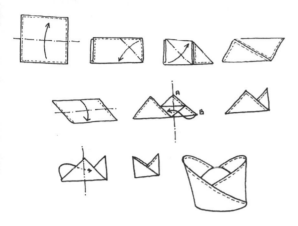

LE CHAPEAU DU ROI

Pliez la serviette en deux parties égales. Présentez le côté plis vers le bas.

Pliez le coin supérieur droit sur le bord inférieur.

Rabattez l'angle inférieur gauche sur la pointe supérieure du triangle. Retournez votre serviette, face côté table.

Pliez en deux la serviette dans la longueur. Soulevez le petit triangle "A". Ramenez la pointe "B" vers le grand triangle en suivant l'axe figuré et glissez la pointe sous la bordure. Ensuite retournez la serviette et repliez la pointe inférieure droite sous la gauche en la glissant à l'intérieur. Passez la main dans la serviette pour lui donner du volume et arrondir la bordure.

LA FLEUR DE LYS

Pliez votre serviette (obligatoirement carrée) de manière à obtenir un triangle, côté plis vers le bas.

Rabattez la pointe supérieure sur la base en la laissant dépasser (dans les proportions d'un triangle isocèle). Retournez la serviette afin de répéter l'opération. Plissez ensuite la serviette en superposant une succession de petits plis jusqu'à l'extrémité de la serviette.

Maintenez les plis, côté droit, entre le pouce et l'index jusqu'à ce que vous placiez la serviette dans un verre. Rabattez le pan triangulaire sur le verre.

LA FLAMME

Posez la serviette face à vous, carré sur la pointe. Pliez en deux

pour former un triangle, base vers le bas. Plissez la serviette de gauche à droite. Vous obtenez un triangle en accordéon. Repliez les pointes vers l'autre côté du triangle et placez la serviette dans un verre en resserrant les plis vers le bas et en les écartant vers le haut.

Les bougies

On ne soulignera jamais assez l'importance des bougies sur une table. Elles créent, sur la plus simple des tables, une ambiance chaleureuse et conviviale, intime. La lumière scintillante des flammes de bougies donne un supplément d'âme aux moindres objets qui s'animent soudain d'un chatoiement inhabituel.

Tout plaide pour un éclairage à la bougie, surtout la nuit de Noël. Nous avons tous en tête les nativités de Georges de la Tour et nous avons tous éprouvé cette joie particulière devant la bougie allumée qui met en valeur l'intériorité de chaque personnalité et adoucit les contours des visages. Les bougies existent dans une telle variété de couleurs qu'il serait dommage de s'en priver. Vous pouvez donc penser la couleur de vos bougies en fonction de la nappe, des serviettes… Le grand classique pour Noël c'est la nappe blanche ou la nappe rouge et les serviettes vertes, ou la nappe verte sous les serviettes rouges. A partir de ces formules-là, vous pouvez composer avec des bougies blanches, rouges, vertes, ou jaunes, voire dorées ou encore argentées. Il existe aussi des bougies pailletées.

FABRIQUEZ VOS BOUGIES

Pailletez-les vous-même en badigeonnant la bougie de colle, au pinceau, à la bombe. Roulez ensuite la bougie dans les paillettes en la tenant par l'extrémité qui sera dans le bougeoir et ne se verra donc pas.

Et pourquoi ne pas couler vous même vos bougies dans des moules ?

Vous achèterez de la cire pour bougie chez les droguistes ou dans les magasins de fournitures pour Beaux arts. Vous pouvez aussi récupérer vos petits morceaux de bougies. Mais, il faut reconnaître que les couleurs ainsi obtenues sont toujours un peu ternes et surtout assez indéfinies. Il existe aussi toute une gamme de moules qui vous permettront de réaliser facilement vos propres

modèles de bougies. Ainsi, vous pourrez mouler des bougies tor-
sadées, ou d'autres décorées en relief avec des motifs de can-
délabres ou des arabesques florales. Vous réalisez des corbeilles
de fruits en cire, oranges, citrons, pommes, poires... des étoiles,
des formes géométriques, des pères Noël. De plus les moules sont
en plastique et vous serviront d'année en année. Voilà de quoi
s'amuser avec les enfants pour préparer Noël pendant les week-
ends du mois de décembre en attendant le 24 et en effeuillant les
pages du calendrier de l'Avent. Evidemment, les mèches vous
seront vendues avec la cire.

COULEZ VOS BOUGIES DANS DES COQUILLES D'HUITRES.
Elles auront ainsi véritablement un air de fête, car aucun amateur
d'huîtres ne s'en passe à Noël ! Vous serez donc obligé de manger des huîtres avant Noël ! Nettoyez ensuite les coquilles à l'eau
savonneuse avec une brosse. Placez-les à table sur un lit de fou-
gères dans une assiette ou bien sur un lit de feuilles de houx ;
attribuez-en une à chaque convive.
Mais il existe une solution encore plus simple pour confectionner
ses bougies personnalisées, la cire malléable qu'il suffit de chauffer dans ses mains en y insérant une mèche. Vous trouverez en
vente des boîtes complètes avec une gamme de couleur et des
mèches. Les enfants adoreront cette activité. Pensez aux bougies
flottantes dont le fond est convexe. Pensez aussi aux bougies
anti-tabac et parfumées.

**FABRIQUEZ AUSSI VOS
BOUGEOIRS !**
Réalisez un bougeoir
naturel en un coup de
couteau et un coup de
vide-pomme !
Coupez l'extrémité
d'une orange bien
ferme de manière à ce qu'elle tienne en place sur un plan plat.
Avec un vide-pomme faites un trou au centre d'une orange, mais
ne la traversez pas.
Une précaution, placez-vous au dessus d'un évier. Rentrez la bougie dans cette cavité.
Vous pouvez décliner très facilement avec des pommes, des citrons (à condition de couper l'extrémité inférieure), des pamplemousses, des poires.
En procédant différemment pour percer, notamment avec un outil
plus petit, placez sur un même fruit, de nombreuses bougies très
fines et longues qui créeront un jeu de lignes sur la table.

FAITES UN BOUGEOIR SAISONNIER A VOS BOUGIES !

Chez votre fleuriste, procurez-vous de la mousse pour piquer les fleurs. Incrustez la bougie dans le bloc de mousse, aidez-vous au besoin d'un support ordinaire en plastique. Piquez des boules de sapin, des fleurs fraîches (dans ce cas préservez l'humidité de la mousse) ou séchées. Vous pouvez ajouter du bolduc que vous friserez.

MATÉRIEL :
- du polystyrène d'environ
2 cm d'épaisseur
- du papier brillant
- un crayon
- un cutter
- de la colle

MODELEZ VOS BOUGEOIRS !

En deux coups de crayon, deux coups de cutter et un collage !

Tracez sur le revers du papier brillant la forme d'une étoile (c'est un exemple). Coupez cette étoile (pliez le papier avant, de manière à obtenir d'un seul coup plusieurs étoiles). Servez-vous de cette étoile comme d'un gabarit et dessinez-la sur votre morceau de polystyrène. Découpez votre polystyrène. Avec la bougie que vous souhaitez utiliser, tracez le cercle de section nécessaire pour évider l'étoile de polystyrène. Répétez l'opération sur le papier. Collez ensuite le papier sur le polystyrène. Mettez la bougie en place, le tour est joué. Pour la finition, nouez un ruban autour de la base de la bougie.

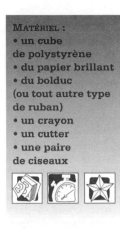

DES BOUGEOIRS EN FORME DE PAQUETS-CADEAUX

En 3 coups de crayon, autant de cutter et deux collages !
Recouvrez le cube de polystyrène de papier brillant comme pour emballer une boîte. Reportez la section de la bougie en dessinant son périmètre sur le cube. Découpez et évidez sur environ 2 cm avec la lame d'un cutter. Placez la bougie. Soulignez le paquet avec un ruban de bolduc que vous croiserez de manière excentrée. Décorez la croisée d'un nœud de bolduc ou d'un petit nœud adhésif comme on en trouve dans les grandes surfaces (rayon papeterie).

UN PEU DE PRÉVENTION

La joie et le bonheur ne doivent pas nous faire oublier les plus élémentaires précautions et l'inattention d'un instant se transformer en désastre d'une vie. Aussi, n'oubliez jamais qu'une bougie est une source de danger dans nos habitations si facilement inflammables et dans l'effervescence des fêtes qui nous réunissent nombreux dans quelques mètres carrés.
Ne laissez jamais un enfant seul dans une pièce où brûle une bougie.
Ne quittez jamais votre habitation sans avoir éteint toutes les bougies.
N'allez pas vous glisser dans vos draps sans souffler toutes les flammes.

Les fleurs

LES FLEURS ARTIFICIELLES

A moins de les payer presque aussi cher que les vraies, les fleurs artificielles sont souvent d'un triste décourageant. Pourtant avec le même geste qui, décidément, offre des possibilités illimitées, vous pourrez donner un coup d'éclat aux fleurs en plastique les plus ternes : un coup de peinture en bombe aérosol.

COMPOSEZ DES COURONNES DE VERDURE !

Coupez un morceau de fil de fer de 3 mm de section et d'environ 80 cm de long, vous obtiendrez ainsi un cercle de 25 cm de diamètre à peu près. Sur ce cercle placez de la mousse fraîche que vous fixerez avec des petits morceaux de fil de fer plus fin. Torsadez autant de branches de sapin qu'il sera nécessaire pour faire disparaître la structure. Vous assurerez le maintien des branches de sapin avec quelques morceaux de fil de fer, mais aussi avec des rubans dorés ou des rubans rouges.

Vous pouvez vous arrêter là ou bien ajouter des feuilles de laurier, des fleurs séchées, du houx.

Et encore des idées...

MATÉRIEL :
* une nappe en papier, voire 2 ou bien en rouleau de plusieurs mètres
* du ruban de couleur métallisée assez large
* de la colle
* une paire de ciseaux.

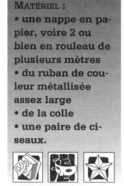

EMBALLEZ VOTRE TABLE COMME UN PAQUET-CADEAU !

Vous devez recouvrir la table d'une nappe qui la dissimule entièrement, c'est-à-dire dont les pans retomberont jusqu'au sol. Pour cette raison, il sera probablement nécessaire d'assembler plusieurs nappes ou bandes de papier taillées dans un rouleau.

Ensuite, fixez sur la nappe le ruban très large, à l'imitation des petits rubans de bolduc, au milieu, dans le sens de la largeur et celui de la longueur de la table. Le nœud au milieu de la table pourra être un énorme vrai nœud ou bien une coupe à fruit, ou un petit sapin miniature ou encore un éclatant bouquet de fleurs. Vue de loin la table sera d'un effet splendide !

UNE TABLE COUVERTE DE CADEAUX

Noël c'est vraiment les cadeaux ! Pour chaque couvert, fabriquez des faux paquets-cadeaux sans fond que vous poserez sur les assiettes de manière à les dissimuler.

Dans du carton découpez le schéma suivant.

Assemblez puis recouvrez de papier cadeaux. Pour plus de détails reportez-vous au chapitre qui y est consacré.

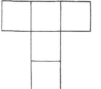 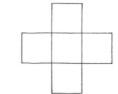

Après tout c'est un très beau cadeau qu'un délicat repas de fête ! A Noël les cadeaux sont aussi dans l'assiette !

LE PLAN DE TABLE

En famille et pour une telle fête, un plan de table peut

paraître inutile et pourtant, même au sein d'une famille les affinités existent, sachez en tenir compte si vous avez à remplir le rôle d'hôte.

LA VAISSELLE ET SON DECOR

Placez une très large assiette de présentation sous les assiettes de service, même en plastique, surtout si vous la choisissez couleur or, elle mettra en valeur les autres assiettes. Vous pouvez aussi peindre à la bombe (en or ou en argent) différentes vieilles assiettes dépareillées mais de la même taille et assez grandes pour servir d'assiette de présentation. Achetez-les aux puces spécialement à cette occasion, elles vous resserviront.

MATÉRIEL :
(pour un sapin)
des fruits confits :
• 200g de figues
• 400 g d'angélique
• 200 g
de mandarines
• 200 g d'oranges
amères
• 200 g de cédrat
• 200 g de cerises.
• une boîte
de camembert
• du papier
aluminium
• du fil de cuisine
• une assiette
où disposer l'arbre

DE MERVEILLEUX SAPINS SUR VOTRE TABLE

Découpez des brins d'angélique en bandes de différentes longueurs, de 14 à 6 cm et d'environ 1 cm de large. Vous formerez ainsi les branches du sapin. Assemblez les brins par 4 avec un peu de fil de cuisine. Recouvrez la boîte à camembert de papier aluminium et empilez les bouquets d'angélique en commençant évidemment par le plus large. Ensuite fendez les différents fruits et fixez-les sur les bandes d'angélique. Disposez des tranches de cédrats au pied du sapin.

REALISEZ UNE COUPE DE FRUITS EN OR !

Peignez des fruits en plastique avec de la peinture dorée en bombe. Installez-vous dans un endroit parfaitement bien aéré. De préférence portez un masque anti-poussière. Posez l'objet à peindre sur une surface sans valeur que vous protégerez avec des papiers journaux. Vous pouvez composer votre coupe à fruits avec du raisin, des oranges, des pommes, des poires, des pommes de pin, ajoutez des feuilles de houx (peut-être les garderez-vous vertes), des branches de sapins. Pour un effet plus subtil, peignez en maintenant l'aérosol à une distance plus grande que celle habituellement recommandée, par exemple 30-35 cm au lieu de 25-30cm. Ainsi chaque fruit gardera une trace de sa propre couleur.
Passez aussi les bougeoirs à la bombe aérosol pour un décor uni !

LA TABLE DES ENFANTS

En famille, les enfants forment parfois à eux seuls une table complète. Il peut d'ailleurs être très confortable pour les uns et les autres de dresser une table spécialement pour les enfants. Lors d'un long repas, ceux-ci ont souvent besoin de se déplacer pour aller jouer un instant, pour aller embrasser leur papa ou leur maman ou pour aller voir le chien ; autant de mouvements qui animent la fête, mais peuvent aussi rendre difficile la conversation entre adultes.

De plus, cela vous permettra de dresser une table de fête dans un style plus adapté aux goûts des enfants. Utilisez de préférence des nappes en plastique de couleur vive.

Les enfants adorent les couleurs fluorescentes. Pour les sets de table, utilisez des pages de bandes dessinées. Vous trouverez chez les soldeurs, au moment des fêtes de Noël, des vieux livres d'images très joyeux sur ce thème et à des prix très encourageants.

A PROPOS DE BUCHES

Décorez la table avec de véritables bûches de bois sur lesquelles vous torsaderez des guirlandes. Vous pouvez aussi proposer aux enfants de graver "Joyeux Noël" dans l'écorce.

Le décor des plats

Une fois la table bien dressée, il est indispensable de soigner la décoration des plats afin que l'arrivée de chacun d'eux sur la table soit un événement à la fois esthétique et odorant. La décoration des plats en appelle le plus souvent à des gestes simples mais le rythme de notre vie au quotidien nous empêche généralement de les accomplir.

Le repas de fête, et à plus forte raison celui de Noël, nous incite à en faire davantage. Nous avons réuni ici, des astuces et des trucs de base, c'est à vous de prendre le temps, mais vous verrez nous n'avons retenu que les décors les plus simples et vous n'aurez aucun mal à donner à votre cuisine l'habillage qu'elle mérite. A vos ustensiles !

En forme de fleurs

LA ROSE JAUNE CITRON

Avec un couteau à la lame bien aiguisée épluchez les quatre cinquièmes d'un citron de manière à ce que l'écorce reste solidaire du citron et d'une seule pièce. Tournez ensuite l'écorce vers le bas du citron et enrou-

lez-la bien serrée. Placez vos citrons ainsi parés sur le plat et clairsemez de persil.

LA ROSE ROUGE TOMATE

Il s'agit tout simplement d'éplucher une tomate et d'en utiliser la peau pour fabriquer un bouton de rose. Commencez par découper un cercle à l'extrémité de la tomate, mais arrêtez-vous avant d'en avoir fait le tour et amorcez alors la découpe de la peau de votre tomate. Faites bien attention à ce qu'elle reste d'une seule

pièce, soit la plus fine possible. Vous devez opérer avec la lame dans un mouvement de va et vient. Une fois la peau entièrement enlevée, commencez à l'enrouler très serrée sur elle-même par la dernière extrémité. Posez le joli bouton de rose obtenu sur le cercle par lequel vous aviez commencé la découpe. Ajoutez des feuilles de menthe ou de laurier ou encore, comme c'est Noël, des feuilles de houx !

LA ROSE JAUNE BEURRE

Prélevez d'abord sur votre plaquette un petit morceau de beurre. Formez-le en cône. Découpez les coins de la plaquette pour obtenir un demi cylindre. Coupez de très fines tranches et donnez-leur la forme de pétales de rose en les modelant avec vos doigts. Fixez pétale après pétale sur le petit cône réservé en premier lieu. Une fois votre rose assez volumineuse, placez-la au réfrigérateur pour que la forme se fixe en refroidissant.

Retouchez, si nécessaire, après un léger durcissement du beurre. Si vous le souhaitez, ajoutez des feuilles en coupant des losanges un peu plus épais dans le beurre. Avec la pointe du couteau incisez des détails comme les nervures.

Mais il est possible que vous préfériez ajouter des feuilles de menthe ou de laurier qui rendront la rose plus vraie et plus spectaculaire !

LES BOUTONS D'OR
(UNE DECORATION CHAUDE)

MATÉRIEL :
• des pommes de terre
• du safran ou du colorant alimentaire
• une cuillère parisienne

Faites cuire des pommes-de-terre à l'eau avec du safran ou du colorant alimentaire. Avec une cuillère parisienne creusez dans des pommes de terre des petites boules. Coupez une des extrémités de la boule afin d'obtenir une surface plane.

Sur le pourtour de la pomme-de-terre vous allez dégager les pétales et au centre le cœur d'une fleur. Incisez ensuite sur 4 côtés selon un tracé en arc-de-cercle en maintenant la lame du couteau perpendiculaire à la surface de la pomme de terre. Incisez sur la surface un carré plus petit. Evidez l'espace entre ce carré et les incisions en arc-de-cercle.

Vous obtenez les pétales autour du cœur. Pour fignoler coupez en biseau le bord des pétales. Présentez vos boutons d'or dans de la verdure, des feuilles d'épinards frais, des feuilles de lauriers...

LES TULIPES

MATÉRIEL :
• des radis
• un couteau bien aiguisé

Coupez les extrémités des radis. Fendez les radis sur les 4 faces afin de dégager les pétales de la fleur.

Ensuite, vous pouvez retirer le cœur du radis, pour cela serrez très fort la partie inférieur en tournant la partie supérieure.

Ou conserver le cœur du radis, tout simplement, et dans ce cas, vous vous éloignez de la tulipe mais vous obtiendrez toujours une fleur magnifique.

Dans les deux cas montez-la sur un pique-olives et plantez-la dans les mets de votre choix, en particulier les plats froids.

En forme de fruits et légumes

MATÉRIEL :
• des œufs
• 2 fois moins de tomates très fermes
• de la salade
• une douille à pâtisserie.

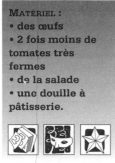

LES CHAMPIGNONS
Faites bouillir autant d'œufs que vous souhaitez réaliser de champignons. Une fois les

œufs durs, épluchez-les et coupez-en les extrémités (gardez-les sous la main). Coupez chaque tomate en deux. Dans un plat disposez les œufs verticalement. Couvrez-les avec les demi-tomates. Au moyen de la douille à pâtisserie découpez des petits ronds dans les extrémités des œufs. Placez ces taches blanches sur les tomates. Placez de la salade verte autour des champignons.

MATÉRIEL :
• des carottes
• un couteau bien affûté

LA POMME DE PIN
De votre carotte faites un cylindre. Partez de l'extrémité la plus large et commencez à réaliser les pétales en fendant la carotte en arc-de-cercle le long de sa circonférence. Dégagez de grands pétales en évidant la carotte derrière sur 2mm d'épaisseur.

Commencez au dessus un nouveau rang de pétales légèrement plus petits en les plaçant en quinconce par rapport aux précédents. Poursuivez tout le long de la

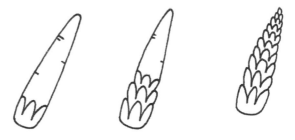

carotte avec des pétales de plus en plus petits.
Au dernier rang évidez le centre de la carotte de sorte que seuls les pétales dépassent à l'extrémité de celle-ci.
Bien sûr ces pommes de pin sont à présenter avec de la verdure, feuilles d'épinards, de cresson, de mâche.

ETOILES DE NOEL JAUNE CITRON

Dans un citron coupez deux tranches de la même épaisseur (3-4 mm d'épaisseur). Prenez celle qui a le plus petit diamètre et ôtez-en l'écorce en laissant la partie blanche. Avec un couteau coupez des rayons dans la pulpe pour former des quartiers : les branches de l'étoile.

Ensuite, et c'est l'opération délicate, il s'agit de retourner les branches de l'étoile vers l'extérieur sans rien déchirer. Dans l'autre tranche de la même épaisseur, enlevez l'écorce et la membrane blanche. Placez cette tranche de pulpe au cœur de l'étoile. Vous pouvez, pour une meilleure finition, ajou-

ter au centre un petit disque d'olive noire ou verte, ou de concentré de tomate voire de pulpe de tomate fraîche. Vous pouvez réaliser vos étoiles dans des citrons verts, des oranges, des pamplemousses. Pensez aussi que de simples lamelles de pulpe de citron posées sur une tranche de saumon (ou une seule lamelle sur un petit toast) donnent allure et goût subtil à votre saumon !

LE PANIER

Découpez les coins supérieurs d'un citron. Dans la partie restante prélevez 2 quartiers de manière à conserver 3 demi-cercles. Evidez celui qui se trouve au centre, il formera l'anse du panier. Les autres constitueront les couvercles. Remplissez de brins de persil frais les espaces entre les couvercles du panier et sa base. Fleurissez votre persil avec quelques gouttes de concentré de tomate. Si vous évidez votre petit panier, vous aurez la possibilité de le remplir de crevettes ou de fruits des bois ou même d'un peu de sauce froide, de la mayonnaise. Ou encore placez-y des petits sachets de rince-doigts, entre deux feuilles de houx.

LA FLEUR ÉTOILÉE

Coupez les deux extrémités d'un citron de manière à ce qu'il puisse reposer sur l'une ou l'autre. Incisez en surface la peau du citron pour préparer vos lignes de découpe en zigzag sur la moitié du citron. Une diagonale

de bas en haut, une diagonale de haut en bas en faisant le tour du citron.

Lorsque vous êtes sûr de vos lignes, incisez profondément jusqu'à que les deux moitiés soient désolidarisées. Vous pouvez réaliser exactement la même chose avec des avocats, des oranges, des pamplemousses.

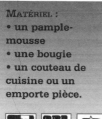

LE LAMPION DE NOEL

Coupez un pamplemousse en deux parties égales (comme pour le presser). Gardez une partie pleine dont vous couperez l'extrémité pour que le demi-pamplemousse tienne en équilibre sur une table.

Sur l'autre moitié du pamplemousse coupez une tranche de faible diamètre afin de mé-

nager un petit trou. Evidez cette moitié. Nous savons tous le faire avec une cuillère, mais passer un couteau sur toute la circonférence entre la pulpe et l'écorce facilite énormément la tache pour aller vite et effectuer une coupe nette. Avec un couteau bien affûté ou un emporte-pièce, découpez les formes de votre choix comme des étoiles, des étoiles filantes, des petits sapins ou des formes géométriques... Dans la partie du pamplemousse conservée pleine, plantez une petite bougie d'anniversaire. Allumez-la. Couvrez avec la moitié ajourée du pamplemousse, votre lampion est terminé. Recommencez avec des oranges, des citrons (choisissez-les très gros de préférence).

Et pour les enfants

LES BROCHETTES DE FRUITS CONFITS

MATÉRIEL :
• un citron
• des fruits confits entiers
• des piques olives

Enfilez tout simplement les fruits sur le pique-olive puis piquez le pique-olive dans l'écorce d'un demi citron !
Répétez au moins 3 fois l'opération.
Posez à plat sur la table !

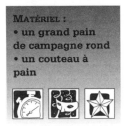

LE PAIN SURPRISE

MATÉRIEL :
• un grand pain de campagne rond
• un couteau à pain

Coupez le couvercle du pain surprise, c'est-à-dire le dessus du pain comme si vous vouliez couper la plus grande tranche possible, mais avec le moins de mie. Passez la lame entre la mie et la croûte et faites le tour du pain pour les désolidariser.
Ensuite plantez le couteau perpendiculaire-ment à la base du pain et traversez-le. Vous parviendrez ainsi à découper une moitié de la mie. Plantez votre couteau de l'autre côté pour faire le tour. Otez la mie et divisez-la en quartiers en coupant des diamètres avec

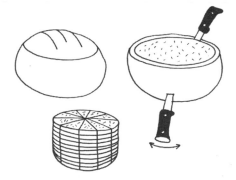

le couteau. Tartinez à votre goût. Beurre et œufs de lump, terrines, tarama, beurre de saumon et autres crustacés, caviars d'aubergine, fromage.
Pour que le pain surprise soit vraiment de la fête fixez autour de la croûte une couronne de houx. Torsadez des branches de houx sur un fil de fer. Encerclez le pain et joignez les extrémités

du fil de fer en les torsadant, elles aussi, avec une pince de manière à tendre le fil de fer pour qu'il tienne bien en place. Remplacez si vous le voulez le houx par des branches de sapin. Vous pouvez bien entendu piquer des roses dans la croûte en la perçant d'abord avec la pointe d'un tire-bouchon.

Et encore des idées...

ET POUR ECRIRE JOYEUX NOEL SUR TOUS LES PLATS !
Achetez du papier sulfurisé. Pliez une feuille rectangulaire comme pour obtenir un carré et coupez le triangle rabattu.
Enroulez le coin droit sur lui-même pour former un cône. Rabattez l'autre pointe par dessus en la poussant du pouce à l'intérieur du cône. Rabattez ensuite encore à l'intérieur la pointe dirigée vers vous.
Le cône est prêt à être rempli. Eventuellement pincez le trou avec une pince à linge pour empêcher le contenu de couler au moment où vous ne le souhaitez pas. Plus petit sera le trou plus vous serez à même d'écrire du texte et de réaliser des décors avec la plus grande finesse.
Pour refermer le cornet, aplatissez le haut et rabattez les angles afin qu'ils se rejoignent. Rabattez la pointe obtenue. Rabattez encore une fois, puis à volonté au fur et à mesure de l'évidement du cornet.

MATÉRIEL :
• du papier sulfurisé
• un cutter ou des ciseaux

DES MANCHERONS POUR LES PATTES DE VOS DINDES AUX MARRONS !
Pliez en deux une feuille de papier sulfurisé. Faites des incisions tous les 5 mm en laissant aussi 5 mm au bord de la feuille et 4 cm en haut et en bas. Dépliez la feuille pour la replier dans le sens de la largeur cette fois. Et collez les bords avec un mélange de blanc d'œuf et de farine.

L'ETOILE DE NOEL

MATÉRIEL :
• du papier sulfurisé
• une paire de ciseaux.

Pliez une feuille carrée selon les diagonales et repliez-la en triangle. Repliez le triangle obtenu en deux. Coupez la pointe qui forme l'extrémité des deux côtés fermés du pliage. Vous venez ainsi de percer le trou de fixation. Sur le côté opposé découpez un triangle isocèle dont les côtés partent des pointes du triangle plié. Dépliez. Vous pouvez réaliser un nombre illimité de variantes d'étoiles ou de figures géométriques à partir de ce pliage d'un carré en triangle. Placez cette étoile aux pattes des dindes.

CARRÉMENT GIVRÉS !

Badigeonnez des fruits frais au blanc d'œuf (c'est de la colle) puis saupoudrez-les de sucre cristal. Disposez les fruits dans une coupe

sur un lit de feuille de houx et ajoutez des marrons glacés !

LES GLAÇONS SONT AUSSI DE LA FETE

Moulez vos glaçons dans des moules aux formes de saisons comme les étoiles !

7.

Les recettes de fête

Un dîner sera toujours réussi s'il est le lieu de la parole de la communication, de l'information, de l'humour, du rire et de la culture. Ce chapitre vous permettra d'apprendre ou de réviser vos connaissances sur nos traditions, outre les renseignements pratiques qui vous permettront de mieux choisir vos produits, il comporte un très bref historique des aliments vedettes qui composeront votre repas.

Vous saurez parler de ce que vous avez dans votre assiette, votre conversation enseignera aux enfants et aux grands de votre table. Faites devenir vôtres les anecdotes que nous vous donnons - c'est votre premier cadeau de Noël - et vous saurez briller et séduire en cette nuit de Noël pas comme les autres...

De tous les repas de l'année, le repas de Noël est celui auquel nous accordons le plus de soins, le plus de temps et le plus d'argent.

Tous les mets les plus rares et donc les plus onéreux sont conviés à la table et font l'objet de ce partage rituel et hédoniste, partage de saveurs somptueuses minutieusement préparées dans les cuisines devenues laboratoires ; jamais autant d'ustensiles ne sont employés à la fois pour la préparation d'un met.

Le chef, qu'il soit homme ou femme, surveille avec la plus grande vigilance les temps de cuisson, la flamme sous une casserole, la découpe d'un légume...

Il faut d'urgence ajouter un peu d'eau par-ci, une noisette de beurre par-là, mettre le four en préchauffage, sortir un produit du réfrigérateur... à vos toques !

"La question du choix"

Il est toujours difficile, surtout si vous souhaitez abandonner la dinde aux marrons, de choisir le plus sublime repas de Noël. Pourtant, il faudra vous obliger à déterminer le contenu du festin, de l'amuse gueule au pousse-café, quelques jours avant, sans changer d'avis, afin d'avoir le temps de vous procurer tous les ingrédients nécessaires. Pour établir votre menu, malgré la tentation, méfiez-vous des recettes trop complexes à réaliser pour la première fois à l'occasion d'un tel repas. Rater une sauce, une cuisson, cela n'a rien de dramatique, pourtant, le soir du réveillon ou le jour de Noël, vous pourriez y trouver bien du désespoir.

Dans le choix des plats, on évite généralement les entrées feuilletées suivies de poissons en croûte et de filets de bœufs en croûte ; toutefois si vous avez envie d'un repas tout en feuilleté, pourquoi pas ! Mais prévoyez dans ce cas des parts assez modestes ou bien ponctuez avec des trous normands. Si vous voulez composer un menu plus classique, pensez qu'une entrée de poisson sera plutôt suivie d'une viande. Les piments sont rarement appréciés à haute dose, l'ail, surtout cru, ne l'est pas davantage.

Un peu de prévention

N'oubliez pas que les cas d'allergies de plus en plus nombreux imposent à certains d'entre nous des régimes plus ou moins stricts, parfois certains produits sont totalement exclus de la consommation car ils pourraient entraîner des réactions très dangereuses pour la vie de la personne allergique. Pensez donc à mener votre petite enquête afin de ne pas provoquer d'incident susceptible de troubler la fête.

De l'importance des courses

N'oubliez pas que la préparation du repas commence au moment de faire les courses. La plus grande vigilance est de mise pour ne pas oublier l'épice qui manquera cruellement à votre oie farcie. La rédaction de listes semble encore le moyen le plus efficace pour ne rien oublier. Vous pouvez rédiger vos listes en classant les produits par rubriques : les produits frais laitiers, les légumes, les viandes et poissons. Ainsi, vous ne perdrez pas de temps une fois dans les magasins et si de plus, vous êtes accompagné, vous pourrez partager le travail et gagner un temps précieux, chacun réalisant une partie des courses. De plus, à l'occasion de Noël, nous allons souvent acheter les denrées chez les spécialistes que nous ne fréquentons pas toujours au quotidien, cela multiplie les lieux où se rendre ; faites un parcours logique avant de commencer de manière à enchaîner le mieux possible sur votre chemin les différents magasins, y compris pendant le retour.

Les recettes de Noël

Viandes, volailles et petites merveilles

DINDE AUX TROIS FRUITS
• INGRÉDIENTS (POUR 8 PERSONNES)
Une dinde de 3 kg
10 petits suisses
250 g de mie de pain rassis
250 g de lardons
150 g de petits oignons
2 œufs
1 gousse d'ail
50 g de ciboulette hachée
50 g de persil haché
1 bouquet garni
huile, sel, poivre
100 g de beurre
Pour la garniture
1 kg de raisins (moitié blancs, moitié noirs)
4 belles pommes golden
16 figues rouges
50 g de sucre
un peu de vinaigre de vin
100 g de beurre
• LA PRÉPARATION
Farce de la dinde.
Réduisez la mie de pain en poudre, à la moulinette. Epluchez et écrasez la gousse d'ail.
Dans une terrine, cassez les œufs. Ajoutez les petits suisses, la mie de pain, les fines herbes, ail, sel et poivre.
Farcissez la dinde et recousez-la.
• LA CUISSON
Allumez le four un peu à l'avance.
Epluchez les petits oignons.
Faites blanchir les lardons 1 minute à l'eau bouillante et égouttez-les.
Salez, poivrez l'extérieur de la dinde, puis badigeonnez-la d'huile et de beurre. Mettez-la dans un plat à four, entourée des lardons,

des petits oignons et du bouquet garni. Ajoutez un peu d'eau au fond du plat.

Faites-la cuire pendant 1 heure et demie. Arrosez-la de temps en temps.

Vers la fin de la cuisson, recouvrez la dinde d'un papier huilé pour qu'elle ne se colore pas trop.

• LA GARNITURE.

Raisins : épluchez, épépinez et gardez au chaud.

Pommes : épluchez-les, coupez-les en deux, retirez cœur et pépins. Faites quelques incisions sur la partie bombée. Mettez à cuire dans une cocotte sur le côté plat. Faites cuire au beurre, à feu doux, pendant 1/4 d'heure.

Figues : coupez la queue et ouvrez les figues en deux. Placez-les dans une poêle à couvercle beurrée, la partie bombée vers le fond. Versez sur le dessus quelques gouttes de vinaigre ; au centre de chaque figue, faites une petite pyramide de sucre en poudre. Faites cuire à couvert à feu doux pendant 1/4 d'heure environ.

Pendant la cuisson ne pas toucher aux figues ou aux pommes, elles se déferaient

• LA PRÉSENTATION.

Placez la dinde après l'avoir débridée sur le plat de service chaud. Dégraissez la sauce et versez la avec les oignons et les lardons dans une saucière. Disposez harmonieusement raisins, pommes et figues autour de la dinde.

DINDE TRADITIONNELLE DE NOEL FARCIE AUX MARRONS ET AUX TRUFFES

• INGRÉDIENTS (POUR 8 PERSONNES)

Une dinde de 3,5 kg

2 bocaux de marrons au naturel de 450 g

1 ou 2 truffes en boîtes à faire mariner dans de l'armagnac

1 cuillère à soupe de graisse d'oie

Pour la farce

600 g de veau maigre

200 g de jambon cru de Bayonne

cœur, gésier et foie de la dinde

450 g de marrons au naturel

muscade, sel, poivre

1 cuillerée à soupe de graisse d'oie

2 œufs

• LA PRÉPARATION

La farce

Faites revenir les viandes entières et les abats sur un feu doux. Hachez-les grossièrement.

Faites revenir les marrons à la graisse d'oie.

Ajoutez-les entiers au hachis de viande.

Liez la farce tiède avec deux œufs battus.

Salez, poivrez, ajoutez de la muscade.

Ajoutez le jus des truffes et un peu d'armagnac. Farcissez abondamment la dinde et recousez les deux extrémités.

• LA CUISSON

Enduisez la dinde de graisse d'oie ou de canard pour la rendre plus onctueuse.

Avec un couteau pointu, faites des entailles entre peau et chair. Glissez-y de minces rondelles de truffes trempées dans l'armagnac.

Faites cuire à four chaud, 30 minutes par kg. Pendant la cuisson, faites plusieurs fois avec une seringue des piqûres d'armagnac.

Servez la dinde entourée de marrons revenus au préalable dans de la graisse d'oie.

LA TRADITIONNELLE OIE FARCIE ROTIE

• INGRÉDIENTS (POUR 8 PERSONNES)

1 oie d'environ 5 kg

Farce

50 g de graisse d'oie

150 g d'oignons hachés

300 g de chou vert émincé finement

150 g de lard fumé paysan

2 cuillerées à soupe de persil haché

2 gousses d'ail écrasées

le gésier de l'oie

150 g de foies de volailles

3 petits pains

1 dl de lait

3 œufs entiers

5 cl de cognac

500 g de marrons épluchés

sel, poivre du moulin

thym, marjolaine, muscade

Pour la cuisson

100 g d'oignons hachés grossièrement

100 g de carottes coupées en petits dés

2 tomates très mûres

25 cl de vin blanc sec

1 bouquet garni

• LA PRÉPARATION

Videz l'oie et flambez-la. Salez et poivrez à l'intérieur comme à l'extérieur. Préparez la farce en faisant suer dans la graisse d'oie les oignons, le chou vert ainsi que le lard paysan coupé en petits dés. Ajoutez le gésier coupé en petits morceaux et enfin le foie de l'oie, les foies de volailles hachés et l'ail écrasé.

Mélangez avec les petits pains trempés au préalable dans du lait et bien les égoutter. Ajoutez une pincée de thym et de la marjolaine, le persil, et les œufs. Assaisonnez de sel, poivre et noix de muscade. Parfumez la farce au cognac.

Incorporez délicatement les marrons préalablement cuits.

Remplissez l'oie de farce. Cousez l'orifice afin que la farce ne s'échappe pas pendant la cuisson. Posez-la dans un plat destiné au four.

• LA CUISSON

Enfournez dans un four préchauffé à 200° (thermostat 6/7). Sortez-la du four après 30 minutes de cuisson.

Mettez les oignons et les carottes coupés en dés. Déglacez au vin blanc. Ajoutez les tomates, le bouquet garni.

Remettez au four. Arrosez régulièrement l'oie de son jus de cuisson pour qu'elle soit encore moelleuse et non pas sèche en fin de cuisson ! Vous devez compter une cuisson d'environ 30 minutes par kg de viande, mais ce temps peut varier suivant l'âge de la volaille et sa taille.

Servez l'oie accompagnée d'une purée de pommes de terres, de chou rouge aux pommes et du jus de rôti dégraissé.

• LA DÉCORATION

Servez avec 2 manchons en papier doré ou argent (voir confection dans le chapitre consacré au décor des plats).

FAISAN IVRE EN SALPICON DE TRUFFES ET DE FOIE GRAS

• INGRÉDIENTS

1 faisan
1 verre de madère
1 verre de xérès
1 salpicon de truffes
1 fond de veau
1 fond de gibier
1 salpicon de foie gras
2 grosses poignées de farines
1 verre d'eau environ

• LA CUISSON

Cuisez au four un beau faisan, pendant 40 minutes environ. Retirez-le.

Déglacez le plat de cuisson avec un verre de madère et un verre de xérès.

Ajoutez un salpicon* de truffes. Faites réduire de 4/5èmes. Ajoutez alors un peu de fond de veau et de fond de gibier.

En dernier incorporez un salpicon de foie gras. Posez le faisan

dans une cocotte ovale. Versez dessus la sauce préparée comme ci-dessus. Couvrez la cocotte. Lutez* les bords du couvercle avec du repère (pâte faite avec farine et eau).
Achevez de cuire au four (environ dix minutes).

*Déglacer : verser un liquide dans un plat de cuisson et profiter de son ébullition pour récupérer les sucs rendus
* Salpicon : composé de différentes sortes d'aliments, détaillés en dés, comme truffes, quenelles, champignons
* Luter : souder le couvercle d'une cocotte avec de la farine délayée dans très peu d'eau

LA BUCHE SALEE AUX MARRONS
• INGRÉDIENTS (POUR 12-14 PERSONNES)
100 g de châtaignes salées
1 bouillon cube
3 œufs
2 gousses d'ail
2 branches de céleri
1 boîte de 1 kg de purée de marrons
2 cuillerées d'huile
2 cuillerées à soupe de farine
50 g de pain émietté
2 cuillères à café de fines herbes
500 g de pâte feuilletée
100 ml de vin blanc
• LA PRÉPARATION
Placez la veille 100 g de châtaignes séchées dans de l'eau froide. Laissez cuire une 1/2 heure à feux doux.
Egouttez. Hachez.
Faites revenir 1 oignon et 2 gousses d'ail dans 2 cuillères à soupe d'huile.
Mélangez 2 cuillerées à soupe de farine à 100 ml de vin blanc. Otez du feu lorsque le mélange épaissit.
Ajoutez 2 œufs battus. Incorporez les 250 g de purée de marrons fraîche si possible pour de plus inoubliables saveurs (en boîte sinon) et les 50 g de pain émietté. Ajoutez 2 branches de céleri préalablement coupées en petits cubes, aux châtaignes hachées.
Assaisonnez avec 2 cuillères à café de fines herbes, sel, poivre. Vérifiez l'assaisonnement en goûtant.
Etalez 500 g de pâte feuilletée en un carré de 30 cm de côté.
Placez le mélange au centre de la pâte. Refermez la pâte avec les chutes. Faites ensuite indépendamment de la bûche 2 petites spirales avec la pâte. Appuyez-les de chaque côté de la bûche, pour mieux finir sa présentation

• LA CUISSON

Placez la préparation dans un plat allant au four. Passez dessus à l'aide d'un pinceau, un jaune d'œuf.

Laissez cuire 1 heure à four moyen, thermostat 5/6.

• LA DÉCORATION

Décorez avec de la poudre d'amandes et des petits objets : oiseaux, coccinelles factices, vrais ou faux champignons, herbes (persil, coriandre, ciboulette au choix) coupées finement pour créer une sorte de mousse des bois.

TRUFFES AU FOIE GRAS EN PETITS PAQUETS CADEAUX

• INGRÉDIENTS (POUR 10 PERSONNES)

1/2 bouteille de champagne brut

1 verre de Xérès

10 truffes de 40 à 50 g

10 tranches fines de jambon

Pâte feuilletée surgelée (ou maison)

10 tranches de foie gras (poids suivant épaisseur)

• LA PRÉPARATION

Cuisez, dans une casserole couverte, pendant 25 minutes dans du champagne et dans du xérès des truffes bien rondes de 40 à 50 grammes chacune, et cela à raison d'une truffe par personne. Egouttez-les et laissez-les refroidir.

Enrobez chaque truffe de foie gras bien malaxé, avec du sel et du poivre puis recouvrez-les d'une tranche fine de jambon blanc. Enveloppez chaque truffe ainsi enrobée d'un feuilletage à 6 tours* (si possible).

• LA CUISSON

Faites cuire le tout au four et à chaleur moyenne, pendant une quinzaine de minutes. Servir aussitôt, bien chaud.

*Feuilletage à 6 tours : obtenu en reprenant 3 fois l'opération qui consiste à replier deux fois la pâte sur elle-même, toutes les 20 minutes

LE PARFAIT DE FOIE GRAS
(SE PREPARE LA VEILLE OU MEME 2 A 3 JOURS AVANT)

• INGRÉDIENTS (POUR 6-8 PERSONNES)

foie d'oie cru de 550 g à 600 g

du sel épicé pour foie gras (ou du sel fin additionné du mélange quatre épices)

2,5 cl de kirsch ou de marc de gewurztraminer

1 boîte 4/4 de graisse d'oie

• LA PRÉPARATION

Choisissez un beau foie d'oie cru. Séparez, la veille, les deux lobes.

Incisez à mi-épaisseur dans le sens de la longueur.

Otez tous les vaisseaux sanguins (à l'aide d'une pince à épiler ou d'un couteau fin et au bout pointu).

Assaisonnez du sel épicé pour foie gras (les proportions sont de 18 g de sel épicé par kg de foie cru)

Arrosez avec le kirsch ou le marc de Gewurztraminer. Laissez macérer dans une terrine au frais pendant une nuit.

• LA CUISSON

Malaxez délicatement le foie de manière à enlever toutes les bulles d'air.

Donnez-lui la forme ovale de la terrine en le pressant avec les doigts (il est préférable de faire cela rapidement).

Enveloppez le foie dans une feuille de papier sulfurisé épais, en cornant et serrant bien les deux extrémités.

Posez-le dans une terrine en terre n°3. Exercez une pression de manière à lui faire bien prendre la forme de ce récipient.

Mettez le couvercle. Faites cuire au bain-marie dans votre four à une température de 170° ou thermostat 5/6 pendant 40 minutes.

Laissez refroidir le foie dans sa graisse.

• LA CONSERVATION

Mettez au frais jusqu'au moment de sa dégustation.

Vous conserverez sans aucun problème ce parfait de foie gras, bien recouvert de sa graisse, ce qui l'empêchera d'être au contact de l'air.

• LA DÉGUSTATION

Chauffez légèrement la terrine avec de l'eau chaude. Démoulez le tout.

Retirez la graisse ainsi que le papier.

Toastez des tranches de pain de mie.

Présentez de fines tranches de votre parfait de foie gras sur ces toasts chauds.

• LA DÉCORATION

Posez des petites étoiles noires, découpées dans de la truffe, ou à défaut dans des olives noires.

ŒUFS DE CAILLES AUX PERLES NOIRES

• INGRÉDIENTS

caviar (30 g environ par personne)
œufs de cailles (24 œufs)
pâte à foncer
crème fraîche (2 dl)
sel, poivre et ciboulette
composition de la pâte :
250 g de farine
150 g de beurre

eau, sel, sucre (selon appréciation).
Préparez dans des moules de 10 cm de diamètre les tartelettes avec la pâte ci-dessus. Les cuire.
Pochez les œufs de cailles (trois ou quatre par personne) dans de l'eau vinaigrée. Les garder bien moelleux en les refroidissant aussitôt. Les conserver sur une serviette au frais.
Travaillez au fouet 2 dl de crème fraîche, sel et poivre. Hachez finement la ciboulette.
Garnissez chaque tartelette de 30 g environ de caviar. Dressez les quatre œufs de cailles pochés, bien au centre.
Versez dessus la crème avec une cuillère. Parsemez avec la ciboulette hachée.

SOUFFLE DE BOUDIN NOIR AU RHUM ET AUX MARRONS

• INGRÉDIENTS (POUR 6 PERSONNES)
50 g de beurre
3 pincées de sucre
1 boîte d' 1/2 kg de marrons
2 cuillerées de beurre
4 oignons
400 g de boudin
3 œufs
4 cuillerées de crème
2 cuillerées de rhum
Mêlez à la fourchette le beurre et le sucre, de manière à faire une pommade que vous étalez ensuite sur les parois d'un moule à cake. Cette pommade va vous permettre de coller les marrons sur le fond et sur les côtés.
Faites revenir les oignons, dans le beurre, durant une dizaine de minutes. Ajoutez le boudin dont vous avez enlevé la peau.
Mêlez bien avec une fourchette, en versant le rhum et la crème.
Hors du feu ajoutez les 3 jaunes d'œufs. Battez les blancs en neige très ferme que vous ajoutez à la préparation en tournant avec une spatule en bois.
Versez dans un moule, mais attention car cette préparation va gonfler à la cuisson. Il faut donc que le moule ne soit rempli qu'au 3/4. Mettez alors le thermostat 6 pendant 45 minutes.
Démoulez au moment de servir.

PETITS ESCARGOTS AU MOUTON ET AU FOIE DE VEAU EN CIVET D'HIVER

• INGRÉDIENTS
12 douzaines de petits escargots
1 poignée de gros sel
1 verre de vinaigre

1 poignée de farine
2 litres d eau
2 cuillerées d'huile
1 cuillerée de farine
2 carottes
1 oignon
5 brins de persil
1 cuillerée de vinaigre
1 cuillerée de concentré de tomate
6 côtes de mouton
1 bouteille de bourgogne rouge
1 tranche de foie de veau
1 gousse d'ail
1 feuille de laurier
1 pincée de thym
1 pincée de romarin
1 gousse d'ail

• LA PRÉPARATION

On trouve dans le commerce des boîtes d'escargots tout préparés qui peuvent convenir à de nombreuses recettes. Si toutefois vous aviez des escargots vivants, voici la manière de les cuire. Cette façon de les mettre de bon goût reste la même pour tous les plats faits à partir d'escargots, aussi nous ne la répéterons pas. Il est toujours préférable de laisser jeûner les escargots une bonne semaine, on ne sait jamais ce qu'ils ont mangé avant d'être ramassés. Enlevez la cloison calcaire qui obture les escargots et lavez-les à grande eau. Mettez-les ensuite dans une bassine avec le sel, le vinaigre et la farine. Ils vont baver abondamment, les laisser 9 heures en les remuant de temps en temps. Lavez-les à nouveau avec soin pour les débarrasser de toutes les mucosités. Faites bouillir les 2 litres d'eau. Jetez les escargots dedans. Laissez-les bouillir 8 minutes en écumant. Egouttez-les et rafraîchissez- les sous l'eau froide. A ce stade, vous les sortez des coquilles, supprimez le bout noir, souvent amer. Mettez à cuire durant 3 heures avec : 1/2 litre de vin blanc, 1/2 litre d'eau, 2 carottes, 2 oignons et bouquet garni.

Cependant,nous vous avons précisé au début de cette recette que nous allions accommoder de petits escargots et pour eux, notre mode de préparation diffère un peu pour cette recette.

Lorsqu'ils ont bouilli 8 minutes et ont été rafraîchis, avec un couteau coupez le sommet de la spirale que forme la coquille.

Dénudez ainsi la partie inférieure du mollusque, lavez pour enlever les petits morceaux de coquilles. Dans l'huile, délayez la cuillerée de farine. Laissez cuire longuement pour faire prendre une belle couleur brune. Ajoutez alors les carottes et l'oignon en morceaux, le persil ciselé. Lorsqu'ils ont pris couleur mettez le vinaigre, le concentré de tomate, la moitié de la bouteille de vin rouge et les parures de côtes de mouton. Vous ne conserverez en effet que les noix des côtes pour les cuire avec les escargots. Salez, poivrez, écumez.

• LA CUISSON

Cuisez 1 heure. Passez.

Dans cette cuisson videz le reste du vin rouge. Ajoutez le thym, romarin, laurier, les escargots, le mouton.

Laissez cuire durant 3 heures. A ce moment rectifiez l'assaisonnement.

Vous avez finement haché le foie de veau et la gousse d'ail. Avec une écumoire, vous transportez les escargots et le mouton au fond d'un plat creux. Dans la sauce bouillante, mais hors du feu, mêlez le foie et l'ail. Versez dans le plat.

Les escargots se mangent avec les doigts, en aspirant le mollusque par la partie de la coquille que vous avez coupée.

C'est un plat amusant et délicieux à servir en famille ou entre amis.

ESCARGOTS BLANCS COMME NEIGE DANS LEURS COQUILLES D'ARGENT

• INGRÉDIENTS

500 g de haricots blancs en purée

3 œufs

200 g de beurre

sel de céleri

6 douzaines d'escargots cuits

2 fromages demi-sel

2 yaourts

6 cuillerées de crème

1 ris de veau cuit

150 g de gruyère

• LA PRÉPARATION

Mêlez aux œufs la purée de haricots blancs, puis au beurre. Il faut pratiquer l'opération avec les mains de manière à ramollir le beurre. Formez de l'ensemble une pâte bien homogène. Salez moitié sel de céleri, moitié sel marin, poivrez au moulin.

Vous placez cette purée au fond et sur les côtés d'un moule ou d'un plat assez profond et allant au four. L'opération se fait directement avec les mains, la pâte ne se travaillant pas comme une pâte à base de farine.

Une variante que je vous recommande vivement pour Noël, consiste à confectionner, sur une feuille d'aluminium graissée, 6 fonds comme pour des petites tartes, auxquels vous pouvez donner la forme extérieure d'un escargot, le centre doit rester

creux. Dans un saladier mêlez le fromage, les yaourts, la crème. Salez avec prudence. Versez cette préparation au fond de vos tartelettes. Il suffira ensuite d'enfoncer alternativement les escargots et le ris de veau coupé en morceaux dans la préparation.
• LA CUISSON
Mettez au four, thermostat 4, durant 20 minutes. Servez immédiatement.

Poissons et crustacés

HUITRES CUITES AU BEURRE NOISETTE
• INGRÉDIENTS
9 huîtres de Marennes ou de Belon par personne
2 échalotes par convive
2 cuillerées de vin blanc sec
150 g de beurre
poivre
• LA PRÉPARATION
Choisissez 6 belles huîtres de Marennes ou de Belon. Ouvrez-les en prenant bien soin de recueillir leur eau.
Détachez les chairs et faites-les pocher* dans leur eau. Egouttez-les. Ebarbez-les.
Hachez bien fin une échalote et faites-la revenir dans du beurre, à feu doux. Ajoutez les barbes hachées.
Mouillez de la valeur de deux cuillerées à soupe de bon vin blanc sec et de la cuisson des huîtres. Faites réduire et monter* au beurre.
Nettoyez les coquilles vides et faites-les chauffer au four. Mettez un peu de la réduction dans chacune d'elles.
Posez une noix d'huître préalablement sautée au beurre, dans chaque coquille et arrosez du beurre noisette. Poivrez.
Servez très chaud.

*Pocher : cuire dans un liquide au stade du frémissement et sans jamais atteindre celui de l'ébullition
* Monter : équivaut à mêler en fouettant

ROUGE SAPIN EN DOME D'ECREVISSES
(PLAT A PREPARER LA VEILLE)
• INGRÉDIENTS
il faut avoir de belles écrevisses de 60 grammes
(compter environ 6 écrevisses par convive)
Pour la cuisson
un fumet de poisson,
du consommé,

du vin blanc,
vermouth,
cognac,
thym,
sel, poivre, sucre ou cardamome (herbe aromatique).
• LA CUISSON
Marquez* un jus de cuisson avec tous les ingrédients dans lequel vous ferez pocher les écrevisses pendant 20 minutes.
Laissez refroidir le tout pendant 24 heures
• LA DÉCORATION
Dressez les écrevisses en dôme et en formant un sapin (pour donner le volume d'un sapin à votre dôme d'écrevisses, vous pouvez les soutenir avec des feuilles de houx et/ou alterner des écrevisses et des petits bouts de branches de sapin que vous aurez prélevé de votre arbre de Noël). Pour imiter les boules vous pouvez mettre des petites tomates vertes ou tout simplement de toutes petites boules d'arbre de Noël. Saupoudrez très légèrement de farine pour enneiger votre sapin, rouge d'écrevisses. Passez la cuisson et servez-la dans des tasses.

* Marquer : préparer les aliments avant d'en commencer la cuisson.

LA CARPE DE NOEL SANS ARETE
ACCOMMODEE A LA BIERE ET PRESENTEE EN CROUTE DE PAIN D'EPICE AU MIEL
• INGRÉDIENTS (POUR 6 PERSONNES)
6 filets de carpe de 150 g chacun
100 g de beurre
100 g d'oignons
50 g de poireaux
50 g de céleri en branche
50 g de carottes
50 g de lardons
2 dl de fumet de poisson
150 g de farine
1 dl d'huile
25 cl de bière de Noël
1 cuillère à café de graines de cumin
1 pincée de poivre blanc en grains concassés
1 feuille de laurier
1 brindille de thym
2 cuillerées à soupe de miel de sapin
2 cuillères à soupe de brisures de pain d'épice
sel, poivre

• LA PRÉPARATION

Emincez très finement tous les légumes. Faites-les suer au beurre juste pour les ramollir avec les lardons coupés en dés.

Répartissez la préparation dans un plat pouvant aller au four.

Passez les filets de carpe dans le lait. Enduisez-les de farine.

• LA CUISSON

Faites-les dorer de chaque côté dans une poêle avec du beurre et un peu d'huile mais surtout ne les faites pas cuire ; il faut juste les saisir. Placez les filets de carpe côté peau dessus, sur les légumes. Mouillez avec la bière et le fumet de poisson.

Ajoutez le cumin, le poivre en grains écrasés, le thym et le laurier.

Faites cuire dans un four chaud 210°- 220° (thermostat 7/8) pendant 10 à 12 minutes. Sortez le plat du four.

Badigeonnez les filets de carpe avec le miel que vous aurez légèrement chauffé. Saupoudrez avec les brisures de pain d'épice. Arrosez d'un peu de beurre fondu. Laissez gratiner 2 à 3 minutes.

Ce plat de poisson se sert avec des pommes de terre cuites au four dans un papier aluminium et bien sûr avec de la bière de Noël.

TURBOT SERVI EN FILETS DANS UNE MER BLANCHE DE CREME ET D'ECUME

• INGRÉDIENTS

1 turbot d'environ 1, 250 kg

1/2 litre de lait

poivre de Cayenne

2 cuillerées de farine

1 jaune d'œuf

2 cuillerées de chapelure

1 cuillerée de beurre

3 échalotes

1 verre de vin blanc

1/2 verre de vinaigre

2 jaunes d'œufs

1 pot de crème

• LA PRÉPARATION

Le turbot est un poisson savoureux, un des meilleurs. Mais pour le cuire entier, il faut une turbotière, instrument énorme peu utilisé dans les cuisines. Je vous conseille donc de le préparer en morceaux. Si votre poissonnier ne l'a pas fait pour vous, coupez la tête du poisson. Fendez-le d'abord par le milieu et ensuite le long de l'épine dorsale. Vous obtenez ainsi 4 filets que vous débiterez en plusieurs parts. Mettez ces parts à tremper dans le lait durant 2 heures.

Dans la cuillerée de beurre, faites fondre les échalotes émincées. Ajoutez la tête et les arêtes du poisson. Laissez bien frire avant de verser le vin blanc et le vinaigre.

Couvrez et laissez cuire 15 minutes.

Passez à travers un chinois en pressant bien sur les morceaux pour en exprimer le jus.

Sortez les filets de turbot du lait et, sans les essuyer, poivrez-les au Cayenne. Salez-les légèrement. Roulez-les dans la farine, ensuite dans le jaune d'œuf et enfin dans la chapelure. Rangez dans un plat allant au four ; sur chaque filet mettez un morceau de beurre.

• LA CUISSON

Allumez le gril du four. Placez le plat au fond du four. Le poisson cuit 10 minutes d'un côté, puis 10 minutes de l'autre.

A gros bouillons, le fumet de poisson est mis à diminuer. Lorsqu'il en reste la valeur d'une cuillère à soupe, mettez la casserole dans de l'eau chaude. Battez au fouet les jaunes d'œufs. Ajoutez alors petit à petit le pot de crème en continuant de battre. Salez, poivrez et servez dans une saucière.

PANACHE DE TROIS ROIS MAGES, FLAMBES A LA FINE SERVIS EN SAUCE CORAIL

• INGRÉDIENTS

5 kg de grosses écrevisses
1 homard de 700 g environ
300 g de brochet
1 litre et demi de crème fraîche
4 carottes
2 oignons
thym
laurier
Persil
estragon
une branche de céleri
1 dl de fine
1 litre de fumet de poisson
4 blancs d'œufs
500 g de tomates fraîches
quelques lamelles de truffes

• LA PRÉPARATION

Décortiquez les écrevisses (les queues). Gardez-les soigneusement sur glace. Gardez aussi les pinces et coffres pour faire la sauce. Mettez de côté 5 écrevisses entières pour la présentation. Décortiquez entièrement le homard. Gardez la chair sur de la glace, et le corail à part, il servira à colorer la mousse.

• PRÉPARATION DE LA MOUSSE

Assemblez les chairs de nos trois rois mages : écrevisses, homard, brochet.

Travaillez au pilon en ajoutant les blancs d'œufs un à un. Passez ensuite au tamis de soie. Gardez cette farce dans un plat creux posé sur glace. Ensuite, à la spatule, travaillez en ajoutant la crème, le sel, le poivre, et un peu de corail passé au tamis.

Avant de mouler définitivement cette farce, faites un essai, c'est-à-dire pochez une petite quenelle dans l'eau bouillante, salée. Gouttez la légèreté de la mousse. Ajoutez éventuellement sel, poivre ou crème.

Dressez cette mousse crue dans un moule bien beurré, un moule à savarin de 25 centimètres de diamètres. Gardez ce moule au frais.

Temps de cuisson au bain-marie : 40 minutes.

• PRÉPARATION DE LA SAUCE

La sauce va être faite avec les carapaces des écrevisses et du homard, ajoutez-y les carottes et oignons. Rissolez légèrement au beurre, flambez à la fine. Ajoutez tomates, fumet de poisson, thym, laurier (très peu), persil, estragon, une branche de céleri. Assaisonnez.

Temps de cuisson : une petite heure.

Avec le reste de corail, du beurre en pommade et une cuillerée de farine, faites un beurre manié qui liera la sauce.

Passez-la au chinois fin avec un peu de crème et beurre en pommade.

Après cuisson (on constate la cuisson en traversant la mousse d'une fine aiguille ; regardez si cette aiguille est bien sèche. Contrôlez la chaleur avec les lèvres, l'aiguille doit être chaude). Démoulez délicatement dans un plat rond de préférence. Versez la sauce (en garder un peu à part).

Mettez les écrevisses entières au centre, en décoration, avec des lamelles de truffes.

HOMARD EN MAJESTE SUR CREPES FARCIES DE CAVIAR

• INGRÉDIENTS

1/2 litre de vin blanc
1/2 litre d'eau bouillon de poule
6 échalotes
1 bouquet de persil
1 cuillerée à dessert de gingembre
1 homard de 1,5 à 2 kg
4 tranches de thon
1 kg de bulots
1 kg de moules

pâte à crêpes :
150 g de farine
2 œufs
1 cuillerée d'huile d'olive
1/2 litre de bière
3 avocats
2 cuillerées de Maïzena
1 pot de caviar

• LA PRÉPARATION

Préparez le court-bouillon avec le vin blanc sec, un Côte de Provence convient bien, l'eau, le bouillon de poule, les échalotes en morceaux, le persil, le gingembre. Quand le liquide commence à bouillir, jetez-y les moules, laissez quelques minutes, juste le temps de s'ouvrir. Retirez-les avec une écumoire. Remplacez alors par les bulots qui ont été soigneusement nettoyés car ils ont tendance à garder avec eux du sable. Laissez bouillir doucement durant une heure.

A ce moment, ajoutez dans le bouillon le homard, les tranches de thon.

Laissez encore 15 minutes. Retirez du feu et faites diminuer.

Décortiquez la carapace du homard. Récupérez le corail qu'il renferme.

Vous avez préparé une pâte à crêpes, avec la farine, 2 œufs et l'huile d'olive délayés lentement dans la bière. Salez, poivrez.

Roulez cette farce dans les crêpes qui restent au chaud.

Sortez la partie comestible de la queue de homard. Coupez-la en fines escalopes. Placez-les sur les crêpes farcies. Rangez autour des bulots et des moules.

Dans le bouillon qui a diminué, versez les deux cuillerées de maïzena préalablement délayées dans un peu de lait froid.

Au premier bouillon, la maïzena a épaissi la sauce.

Retirez du feu. Ajoutez le caviar. Goûtez pour rectifier l'assaisonnement en cas de besoin, mais surtout ne salez pas avant ce stade.

Avec un peu de sauce, nappez les crêpes farcies et les escalopes de homard, le reste est servi en saucière.

HOMARD EN ROBE DE FETE TRICOLORE ET FLAMBE A LA MIRABELLE

• INGRÉDIENTS

1 cuillerée d'huile d'olive
4 échalotes
4 cuillerées de farine
1 litre de lait
poivre de Cayenne
3 homards de 500 g chacun

1 kg d'épinards (ou une boîte)
150 g de beurre
4 litres d'eau
100 g de pistaches
5 cuillerées de mirabelles
• LA PRÉPARATION
Hachez les échalotes que vous faites blondir dans l'huile d'olive.
L'opération se mène doucement, en prenant le temps. Les échalotes devenues transparentes, ajoutez la farine. Tournez quelques
secondes. Versez le lait froid.
Aux premiers bouillons, vous obtenez ainsi une béchamel onctueuse et légère. Salez, poivrez sérieusement.
Jetez alors vos homards dans cette sauce. Laissez cuire 20 minutes. L'opération peut se faire en plusieurs temps.
Lavez et coupez le bout des tiges des feuilles d'épinards. Mettez
à cuire dans l'eau bouillante salée. Menez l'opération à découvert, les épinards resteront verts. Dix minutes plus tard, égouttez-les. Rafraîchissez sous l'eau froide. Pressez soigneusement
dans les mains pour exprimer toute l'eau.
Mettez dans une poêle avec le beurre. Ajoutez les pistaches.
Sortez-les homards, fendez-les par le milieu. Posez-les sur un plat
chaud. Versez l'alcool et flambez.
Au fond d'un plat creux préalablement chauffé, versez la sauce
blanche. Autour, les épinards sont disposés en couronne et les
homards reconstitués posés par-dessus.

GRENOUILLES EN FETE DANS LEUR ETANG DE CREME
• INGRÉDIENTS (POUR 6 PERSONNES)
6 brochettes de grenouilles
2 cuillerées de beurre
1 litre de lait
sel de céleri
poivre de Cayenne
1 cuillerée à dessert de curry
6 œufs
1 gousse d'ail
3 brins de persil
1 petit chou-fleur
1 litre d'eau
1 œuf
1 cuillerée de chapelure
2 cuillerées d'huile.
• LA PRÉPARATION
Faites cuire le petit chou-fleur dans de l'eau bouillante salée.
Faites frire les grenouilles dans le beurre, en conservant à part

119

une brochette. Lorsqu'elles sont cuites, vous les décortiquez, c'est-à-dire que vous en ôtez les petits os. Mettez-les au fur et à mesure dans le lait.

Salez au sel de céleri et au sel marin par moitié. Poivrez à la Cayenne. Ajoutez le curry, l'ail écrasé, le chou-fleur passé à la moulinette, le persil ciselé, puis les œufs en battant bien le mélange. Versez alors dans un moule à soufflé. Mettez au bain-marie.

Placez dans un four, thermostat 7, durant 30 minutes.

Trempez la dernière brochette dans le jaune d'œuf. Roulez-la dans la chapelure et faites-la doucement frire dans l'huile.

Posez-la ou piquez-la sur le dessus de votre plat, avec 2 cuillerées de beurre avant de servir.

CROUSTADE DE GRENOUILLES ENCHANTEES DE CHANTILLY
• INGRÉDIENTS

1 échalote
1/2 bouquet de persil
1 gousse d'ail
6 brochettes de cuisses de grenouilles
4 cuillerées de farine
2 jaunes d'œufs
1 blanc d'œuf
250 g de fromage blanc
huile pour friture
2 yaourts
1 pot de crème fraîche
1 paquet de ciboulette

• LA PRÉPARATION

Dans les cuillerées de beurre, laissez frire durant 5 minutes l'échalote finement hachée et le persil.

Ajoutez les cuisses de grenouilles en même temps que la gousse d'ail écrasée. Salez, poivrez.

Laissez cuire durant 10 minutes en tournant de temps en temps.

Mêlez dans un saladier la farine avec les jaunes d'œufs et le fromage blanc. Ajoutez les cuisses de grenouilles décortiquées.

Comme elles sont maintenant refroidies, il suffit de les prendre avec les doigts et de tirer le long des os pour en faire glisser la chair. Mêlez bien à votre préparation. Salez et poivrez.

Allez battre en neige bien ferme le blanc d'œuf avant de le mêler à l'ensemble avec une cuillère en bois et sans tourner trop énergiquement.

Il vous reste à prendre des cuillerées de la préparation et les faire glisser dans la friture. Retirez-les à l'écumoire au fur et à mesure, une fois qu'elles sont bien dorées. Servez très chaud.

Pour accompagner, battez en chantilly la crème fraîche à laquelle vous mêlez alors les yaourts, la ciboulette finement ciselée, les quatre-épices et le sel.

TROU NORMAND
SORBET AU VIEUX CHAMPAGNE
(CONVIENT AUSSI TRES BIEN POUR LE DESSERT)
• INGRÉDIENTS
250 g de sucre
400 g d'eau
un peu de zeste de citron râpé
Obtenir un sirop épais avec la composition ci-dessus.
Laissez refroidir dans le bac à glaçons de votre réfrigérateur.
Mélangez une bouteille de vieux champagne.
Vingt minutes avant de servir, mettez cette composition dans une sorbetière car ce sorbet fond très vite.

GRANITE DE CITRON A LA VODKA
• INGRÉDIENTS (POUR 6 PERSONNES)
0,5 litre de jus de citron
0,5 litre d'eau
100 à 200 g de sucre semoule (selon votre goût)
vodka ou autre alcool fort de type eau-de-vie
Mélangez l'eau, le citron, le sucre et placez dans le compartiment à glaçons de votre réfrigérateur au moins deux heures. Démoulez les glaçons et enveloppez-les dans le coin d' un torchon de manière à former une boule que vous maintiendrez fermée de la main gauche tandis que de la droite vous frapperez les glaçons avec le dos d'une cuillère à soupe. Secouez de temps en temps afin de déplacer les glaçons. Lorsque vous ne sentez plus la résistance de la glace, ouvrez et servez dans des coupes à champagne, ajoutez un alcool fort de votre choix comme de la vodka.

La farandole de desserts

LA BUCHE DE NOEL AUX AMANDES ET AU BEURRE
• INGRÉDIENTS (POUR 5-6 PERSONNES)
5 œufs
150 g de sucre semoule
125 g de farine
50 g d'amandes en poudre
25 g de beurre.
• LA PRÉPARATION
Biscuit roulé
Commencez par battre au fouet les œufs et le sucre au bain-marie à environ 35-40° jusqu'à ce que vous obteniez une consistance

mousseuse et épaisse. Retirez du feu mais continuez à battre jusqu'à refroidissement complet.

Mélangez la farine à la poudre d'amandes, dans un bol à part. Versez le tout en pluie sur la préparation mousseuse et incorporez à la spatule avec délicatesse.

Ajoutez alors le beurre fondu tiède non liquide, les jaunes et le kirsch (ou le rhum).

Etalez la pâte sur une plaque rectangulaire avec du papier sulfurisé beurré.

• LA CUISSON

Vous devez la réaliser à four chaud à une température d'environ 210/220° (thermostat 7-8) pendant 7 à 8 mn.

Jetez le papier, immédiatement après avoir sorti le gâteau du four. Roulez le biscuit sur lui-même. Laissez refroidir.

Préparation de la crème :

Préparez la crème de garniture pendant la cuisson. Mélangez les amandes avec le sucre glace, puis le beurre ramolli, les jaunes et le kirsch (le grand-marnier, ou le rhum si vous préférez).

Déroulez le biscuit refroidi. Imbibez de sirop avec un pinceau. Etalez régulièrement la crème aux amandes. Roulez le biscuit en forme de bûche. Placez au frais.

Faites fondre le chocolat avec le sucre glace, dans une casserole au bain-marie. Ajoutez le beurre. Coulez cette crème sur la bûche. Etalez-la à l'aide d'une spatule métallique.

• LA DÉCORATION

Dessinez l'écorce de la bûche à l'aide d'une simple fourchette. Imitez le départ d'une branche qui aurait été coupée. Réservez au frais.

Lorsque le gâteau est devenu dur, vous pouvez saupoudrer de sucre glace sur le dessus pour imiter la neige. Ajoutez des champignons en meringue, des animaux en pâte d'amande, des petits bonbons en forme de fruits, des petits sapins en papier, des petits pères Noël en plastique, etc.

LES FAMEUSES TRUFFES DE CHOCOLAT
(SE PREPARENT LA VEILLE)

• INGRÉDIENTS (POUR 10 PERSONNES)

500 g de chocolat noir
250 g de crème
75 g de beurre fin
2 cuillerées à soupe de café soluble
facultatif : 5 cl d'alcool (kirsch, rhum, mirabelle...)
Enrobage
poudre de cacao amer
vermicelles en chocolat

• LA PRÉPARATION
Disposez dans un saladier le chocolat cassé en très petits morceaux.
Faites bouillir la crème avec le café. Versez bouillant sur le chocolat. Mélangez délicatement afin de bien lisser la masse.
Ajoutez le beurre en pommade. Incorporez complètement l'alcool.
Mettez au frais, pendant une nuit pour bien raffermir cette pâte à truffes.

• LA PRÉSENTATION
Le lendemain, prélevez chaque truffe avec une cuillère parisienne dans la préparation obtenue.
Façonnez cette portion en boule entre vos deux paumes des mains afin d'obtenir des formes ovales bien lisses.
Roulez-la dans le cacao en poudre ou dans les vermicelles de chocolat.
Remettez dans votre réfrigérateur au minimum pendant 1 heure si possible davantage avant de vous régaler !
Ces truffes pourront être également employées pour décorer vos entremets sucrés.

BOULES DE NOEL EN SUCRE FILE GARNIES DE GOURMANDISES

• INGRÉDIENTS (POUR 8 PERSONNES)
8 fonds de tartelettes
8 tranches de génoise
Sirop avec kirsch
1 litre et demi de glace à la vanille
200 g de myrtilles
400 g de framboises
300 g de fraises
1 bombe de chantilly ou chantilly maison
8 cuillerées à soupe de gelée de groseille
200 g de sucre
40 g de glucose
Prenez une coupelle en pâte croquante, (ou un fond de tartelette feuilletée) garnie.
Posez dedans une petite tranche de génoise imbibée d'un sirop au kirsch. Placez au milieu une boule de glace à la vanille.
Recouvrez de fruits frais : fraises (coupées en deux si elles sont grosses), framboises, myrtilles, etc.
Le dessus est nappé d'une cuillerée de gelée de groseille au kirsch et le bord intérieur de la petite coupe est orné d'un cordon de crème chantilly.
Le tout est recouvert d'une cage en sucre filé, qu'on obtient en cuisant du sucre "au grand cassé" (jusqu'à ce que le caramel obtenu fasse un fil) avec 200 g de sucre et 40 g de glucose pour

8 de ces "cages-boules") puis en faisant filer ce sucre, en résille aussi mince que possible, sur le dos d'une louche de dimension voulue.

Vous obtiendrez des moitiés de sphères qui serviront de couvercle à vos tartelettes.

"LE MIRACLE DES LUMIERES" GATEAUX JUIFS AUX DATTES

• INGRÉDIENTS (POUR 6 PERSONNES)

pâte
6 blancs d'œufs
150 g de sucre semoule
200 g de dattes dénoyautées et finement coupées
125 g d'amandes épluchées et hachées
le zeste râpé d'un demi citron
pincée de sel fin
Saupoudrage
1 sachet de sucre vanillé

• LA PRÉPARATION

Montez les blancs d'œufs en neige ferme avec la pincée de sel. Ajoutez le sucre

Mélangez délicatement avec les dattes et les amandes.

Versez dans un moule à manquer (d'environ 25 cm de diamètre) ou dans un moule à flan préalablement beurré (pour en faciliter le démoulage, vous pouvez aussi disposer du papier sulfurisé dans le moule).

• LA DÉCORATION

Au moment de mettre au four, décorez le dessus avec quelques dattes entières.

• LA CUISSON

Laissez cuire à four moyen à 180° (thermostat 6) pendant 40 mn. Démoulez. Laissez refroidir.

Saupoudrez de sucre vanille, avant de déguster.

Ce gâteau se marie bien avec une crème anglaise ou avec une crème au vin blanc.

LES GALETTES A LA FLEUR D'ORANGER

• INGRÉDIENTS (POUR 10-12 PERSONNES)

125 g d'amandes en poudre
360 g de farine
4 cuillerées à soupe de fleur d'oranger
180 g de sucre semoule
180 g de beurre
(éventuellement 100 g de sucre cristallisé).
Dorure :
2 jaunes d'œufs

1 cuillerée à soupe de crème fraîche
• LA PRÉPARATION
Humectez les amandes moulues avec l'eau de fleur d'oranger.
Laissez imbiber.
Pendant ce temps, préparez la pâte en disposant la farine sur
votre plan de travail. Incorporez le sucre. Ajoutez le beurre dé-
taillé en petites parcelles. Ajoutez les amandes parfumées à la
fleur d'oranger.
Roulez la pâte sur une épaisseur de 5 mm. Découpez de petites
galettes ovales à l'aide d'un emporte-pièce.
• LA CUISSON
Disposez-les sur une plaque beurrée. Dorez avec le mélange jaune
d'œuf et crème à l'aide d'un pinceau.
Enfournez tel quel, ou, pour obtenir une autre variante : saupoudrez de sucre cristallisé juste après avoir passé la dorure.
Faites cuire au four à 180° ou thermostat 6 pendant 10 mn.
(Avec ces mêmes ingrédients, en remplaçant simplement l'eau
de fleur d'oranger par 5 cuillerées à soupe d'eau de rose, vous
réaliserez d'excellentes galettes à l'eau de rose.) Le parfum de la
rose, allié aux amandes, développe une subtile finesse.

LE PAIN DE NOEL AUX FRUITS ET AUX EPICES
• INGRÉDIENTS (POUR 18 PERSONNES)
500 g de farine
10 g de levure chimique
200 g de sucre semoule
1 sachet de sucre vanillé
1 pincée de sel
4 gouttes d'essence d'amandes amères
5 dl de rhum
le zeste d'un citron râpé
1 pincée de cardamome
1 pincée de noix de muscade râpée
3 œufs entiers
175 g de beurre bien ramolli
250 g de fromage blanc en faisselle (bien égoutté)
125 g de raisins de Corinthe
200 g de petits raisins secs (sultanines)
facultatif : 100 g de raisins de malaga
100 g d'écorces de citron confites (coupées en très petits dés)
100 g d'amandes douces et/ou de noisettes grossièrement hachées
Badigeonnage
50 g de beurre fondu
Saupoudrage
50 g de sucre glace

• LA PRÉPARATION

Mélangez la farine et la levure chimique. Tamisez-les sur votre plan de travail. Faites un creux au centre de la farine.

Disposez les sucres, le sel fin, les différents aromates et épices, ainsi que les œufs.

Incorporez une partie de la farine à ces ingrédients de manière à obtenir une épaisse "bouillie".

Mettez sur cette préparation le beurre coupé en petits morceaux, le fromage blanc, les raisins secs, les amandes ou les noisettes et l'écorce de citron confite. Recouvrez les fruits secs de farine.

Mélangez rapidement ces différents ingrédients de manière à obtenir une pâte homogène. Donnez à la pâte sa forme de lange repliée.

• LA CUISSON

Disposez-la sur une tôle beurrée.

Faites préchauffer votre four à 250° (thermostat sur 8). Enfournez. Réduisez la chaleur à 160°-180° (thermostat 5-6). Laissez cuire pendant une heure.

• LA DÉCORATION

Sortez le pain du four. Enduisez-le immédiatement de beurre fondu à l'aide d'un pinceau.

Saupoudrez le pain de sucre glace. Décorez sa surface "enneigée" de fruits confits ! Ou écrivez sur votre "pain de Noël" en enlevant le sucre glace avec la pointe d'un objet : "Joyeux Noël".

Vous pouvez également écrire à l'aide d'un cornet à dessin et du chocolat (voir le chapitre consacré à la décoration des plats).

Ce merveilleux "pain de Noël " est encore meilleur accompagné d'un vin chaud.

SOUFFLE DE CHOCOLAT FAÇON ANTI-GRIPPE

• INGRÉDIENTS

1 verre de rhum

6 morceaux de sucre

250 g de pruneaux

1 boîte de 1 kg de marrons

400 g de sucre en poudre

100 g de beurre

125 g de chocolat

3 œufs

• LA PRÉPARATION

Mettez le rhum, le sucre et les pruneaux dans une casserole. Amenez à ébullition. Laissez doucement cuire une dizaine de minutes. En refroidissant dans ce jus, les pruneaux vont gonfler.

Egouttez les marrons. Mettez-les dans un saladier. Ajoutez le sucre en écrasant à la fourchette, puis mêlez le beurre.

Faites fondre le chocolat dans le rhum où macéraient les pruneaux. Ajoutez-le ainsi que les jaunes d'œufs les uns après les autres.

Battez les blancs en neige très ferme et incorporez-les à la préparation en tournant avec une spatule. Versez aussitôt dans un moule beurré et fariné. Attention, cette pâte gonfle à la cuisson, remplissez le moule aux 2/3.

• LA CUISSON

Mettez au four, thermostat 5, durant 1 heure.

A la sortie, démoulez et décorez avec les pruneaux et des petits sapins ou pères Noël en plastique ou en papier.

Les stars du repas de Noël

Si nous n'en mangeons qu'une fois l'an, c'est à Noël ! Denrées de fête, il arrive aussi que nous les dégustions plus régulièrement, mais les connaissons-nous assez bien pour les savourer au mieux ?

Les huîtres

En général, elles sont calibrées et donc numérotées de 0 à 6 ; plus le chiffre est élevé plus l'huître est pleine, c'est la raison pour laquelle les restaurants indiquent en général le calibre de l'huître avec le prix.

Evidemment, plus elle est pleine plus elle est chère, elle a demandé plus d'attention et plus de temps. Toutefois, si une huître peut vivre cinquante ans, vous n'en dégusterez pas de plus de 5 ans, elles sont tout simplement moins bonnes. Les huîtres se vendent à la douzaine ou à la bourriche.

Vous pouvez conserver des huîtres environ huit jours entre 0 et 12°. Soit au réfrigérateur soit sur un balcon en hiver (côté nord). Enveloppez-les dans un linge humide ou dans des algues (votre vendeur peut vous les fournir). Vous n'ouvrirez les huîtres qu'au moment de les manger.

L'huître crue se mange vivante, il est donc recommandé pour les saveurs d'une part et votre santé d'autre part de ne consommer que des huîtres vraiment fraîches. Quand vous les achetez, elles doivent être totalement fermées.

Dans le détail, il existe deux sortes d'huîtres, les huîtres plates et les huîtres creuses ou portugaises.

LES HUITRES PLATES

La plus courante, la belon est d'origine bretonne. Les belons sont élevées pendant trois ans dans des parcs.

Les bouzigues sont une variante méditerranéenne de la belon bretonne.

Les marennes sont une variante de Charente-maritime de la belon.

LES HUITRES CREUSES

Les portugaises étaient bon marché mais elles ont été décimées. Aujourd'hui, vous trouverez sur le marché une huître creuse importée du Japon en 1971 résistant très bien aux virus et très bien implantée dans la baie d'Arcachon.

Le saumon fumé

Le norvégien est celui qui jouit de la meilleure réputation. Mais il existe du saumon fumé du Danemark, du Canada ou d'Ecosse. La recette maison : le saumon est d'abord salé, puis séché et enfin fumé à la fumée de bois. L'opération de fumage dure plusieurs jours.

La recette industrielle : elle réalise la même opération plus vite et avec plus de machines évidemment. Ainsi le saumon, après avoir été trempé dans un bain de saumure est séché et fumé électriquement.

Vous trouverez généralement sur l'emballage la date de mise sous vide, celle-ci correspond habituellement à celle du fumage. C'est au plus près de cette opération que le saumon est le meilleur. Le saumon se déguste en général débité en tranches extrêmement fines, comme le prociuto, mais il est possible que vous préfériez les tranches épaisses. Au détail, vous pourrez toujours préciser l'épaisseur de coupe désirée. Mais au kilogramme sous emballage, vous trouverez les tranches les plus épaisses dans les prix les plus bas.

• DÉGUSTATION

Sur des toasts tièdes, grillés, des blinis, accompagnés de beurre et de crème fraîche, avec ou sans citron.

Le caviar

Le caviar, cet œuf de poisson, œuf de l'esturgeon ou du sterlet se vend sous deux formes.

Le caviar frais, moins salé que le pressé, le prix est proportionnel à la grosseur des grains et trois célèbres caviars constituent quasiment des appellations de calibres. Ainsi le Sévruga est le plus petit et sa couleur est le gris. L'Oscietre a un grain moyen. Le Beluga est le plus gros donc le plus cher.

Le caviar pressé, plus salé que le caviar frais, est bien moins cher, plus sombre, noir ou gris-brun, plus facile à conserver, mais deux fois moins délicat.

Comment présenter le caviar ? Il faut savoir que le caviar s'oxyde à l'air.

Il est donc préférable de n'ouvrir la boîte qu'au dernier moment. Il vous faudra donc présenter celle-ci (et non le caviar directement). Le lit de glace pilée est toujours du plus bel effet.

• QUANTITÉ

Pour des produits de cette qualité et d'un tel prix, la question des quantités devient particulièrement importante. Il faut en général 30 à 50 g par personne. En fait, 30 si le caviar n'est qu'un met parmi d'autres, 50 s'il a une large place.

• DÉGUSTATION

Vous le servirez avec des toasts tièdes ou encore sur des blinis à peine beurrés ou tartinés de crème fraîche.

Pour les recettes chaudes dans lesquelles il est incorporé voir plus haut. Pour la boisson, vous aurez le choix entre le grand classique, la vodka, un autre grand classique, le champagne ou encore le vin blanc.

Le homard

Il faut savoir que la provenance d'un homard n'est facilement identifiable que lorsqu'il est cru. Ainsi, le homard d'Europe est bleu, c'est le plus délicat. Le homard canadien est brun et bien moins cher, mais moins bon. Une fois cuit le homard est toujours rouge. Attendez-vous donc à ce qu'on vous vende des vessies pour des lanternes et méfiez-vous quoiqu'il en soit du homard précuit.

Le homard n'apprécie guère la congélation et le fait savoir en se vidant.

Si vous avez le choix, préférez les femelles généralement plus charnues et dont l'éventail caudal est moins large. Les œufs ne doivent pas être à l'extérieur entre les pattes, ils indiquent que la bête vient de frayer, elle n'est donc pas au mieux de sa forme et se trouve très amaigrie.

Comme c'est souvent le cas avec les crustacés, vous êtes priés de tuer la bête vous-même.

C'est plus honnête en un sens, très désagréable, mais gastronomique.

Les truffes ou le diamant noir de Brillat-Savarin

Comme chacun le sait, la truffe est un champignon souterrain. Ce qu'on sait moins, c'est qu'il s'agit d'un champignon parasite qui prend forme sur les racines des arbres, en particulier le chêne, mais aussi le châtaignier ou le noisetier et partage avec ses hôtes un certain nombre d'organes. Mais attention la truffe, bien qu'elle soit un végétal, ne se cultive pas, c'est ce qui en explique la rareté.

Comme elle est sous terre, la truffe est invisible ; reste donc à dénicher les truffes par d'autres moyens dont le principal reste l'odorat. Pour cela l'homme a besoin d'aide, celle du chien ou du porc, le plus souvent une truie.

Il existe plusieurs sortes de truffes, ainsi la truffe du Périgord est noire très dense à l'extérieur comme à l'intérieur, mais on la trouve bien au-delà du Périgord. La truffe blanche à peau noire est dite fausse truffe tandis que la truffe blanche réputée dans la région du Piémont fait la gloire des Italiens.

La truffe est récoltée suivant les régions du mois de décembre au mois de mai. Notez que les truffes "fraîches" en vente hors saison sont particulièrement suspectes. Vous trouverez les truffes fraîches dans le commerce sous deux formes : avec ou sans terre. Choisissez sans terre puisque vous allez payer la terre au prix de la truffe. Mais sachez toutefois que la truffe se conserve plus longtemps dans la terre, 7 jours contre 5.

Il existe des fausses truffes ou plus exactement des truffes immatures artificiellement colorées. Vous pourrez identifier une vraie truffe en la cassant légèrement, l'intérieur, plus clair, est grisâtre et veiné. Vous pouvez aussi frotter la truffe sur une feuille de papier, si elle se colore c'est qu'on veut vous tromper.

Vous trouverez aussi des truffes vendues en conserve. Faut-il rappeler combien la qualité est sans comparaison. Préférez les truffes congelées si vous ne pouvez vous les procurer fraîches.

• LA PRÉPARATION

Vous ne devez pas peler les truffes. Mais il arrive que les plus petites aient une peau particulièrement épaisse. Dans ce cas retirez-la mais ne jetez pas ces pelures qui valent de l'or et employez-les pour vos sauces.

La dinde

On dit qu'un roi d'Angleterre, Jacques 1er, fut le premier à imposer la dinde à la place du porc qu'il n'aimait pas. Connu dès l'antiquité, le dindon disparut presque totalement au Moyen Age pour revenir d'Inde à la fin de la dite période vers 1432 dans un de ces bateaux qu'affrétait le grand argentier du roi Charles V, Jacques Cœur. C'est en tous cas ce que rapporte Alexandre Dumas dans son Grand dictionnaire de cuisine. Dès l'âge de 6 mois, la dinde est consommable, au-delà de 18 mois elle ne l'est plus. Comme il se doit, la chaire de la femelle est bien plus tendre et raffinée que celle du mâle.

L'oie

Déjà consommée sous la forme de foies gras, l'oie l'est aussi pour sa chair. Elle est appréciable à partir du 7ème mois, et son poids peut atteindre 5 à 6 kg, au-delà l'oie ne sera pas meilleure. La graisse de l'oie est appréciée pour faire sauter les pommes de terre auxquelles elle donne un goût très particulier.

Le foie gras

Dans l'excellent ouvrage de Maguelone Toussaint-Samat on découvre avec étonnement que les Egyptiens remarquèrent les premiers la subtile conséquence d'un phénomène naturel ; le gavage de l'oie par l'oie avant le départ pour de longues migrations...
Produit dans de nombreuses régions de France - l'Alsace, le Périgord, le Quercy, les Landes, le Gers, l'Albigeois - le foie gras se trouve sous différentes formes : frais, mi-cuit, en conserve ou cru. Rappelons ici qu'un foie mérite légalement la dénomination "gras" lorsqu'il contient 20% de foie gras d'oie ou de canard.
Le foie gras frais entier, qu'il soit d'oie ou de canard est entièrement constitué de foie.
Le foie gras frais vient d'être cuit, il est le préféré des véritables amateurs, les producteurs réservent d'ailleurs les meilleurs foies pour cette production.
Le foie gras frais mi-cuit est un foie gras frais, conditionné en bocal, il a les mêmes qualités que le foie gras frais.
Le foie gras frais truffé doit contenir l'équivalent de 3% de son poids en truffe.
Le foie gras en conserve est évidemment moins subtil que le foie gras frais. Mais il a, outre tous les avantages d'une conserve (quand elle est de bonne qualité), celui de se bonifier en vieillissant. Il est d'ailleurs recommandé d'attendre au moins un an avant de le déguster, vérifiez donc que la date de mise en conserve figure bien sur la boîte.
Le foie gras cru : plus il est petit meilleur il est. Un foie de canard

de bonne qualité est de couleur blanche légèrement rosée. Il faut qu'il soit ferme, plus il est souple au toucher plus il contient de graisse et fondera à la cuisson.

Le champagne

Le vin le plus bu le plus connu, le plus imité est le vin de champagne. Son ancêtre est le vin d'aÿ "vinum"dei à savoir, le vin de Dieu. C'est à notre Mère l'église que nous devons l'invention du champagne et plus précisément à Dom Pérignon (qui mourut en 1715) moine de l'abbaye d'Hautvillier qui trouva la manière d'élever le champagne, en maîtrisant sa seconde fermentation : on peut donc dire qu'il l'inventa. Moët et Chandon racheta les vignobles d'Hautevillier en 1794 et donna le nom de Dom Pérignon à la meilleure cuvée. Denrée internationale s'il en est, le champagne se dit : "Champagne !" dans toutes les langues du monde... En quoi le champagne est-il une exception dans les vins ? Pourquoi est-il ce vin des vins, cette quintessence de ce qui fait les qualités un breuvage de Noël ? Vraisemblablement parce qu'il a toutes les qualités des autres vins sans jamais en avoir un seul défaut. Il est fin, subtil, singulier, puissant, aromatique, léger, il permet la gaieté, la fête, la joie, les ébriétés légères. On ne connaît pas d'ivresses dont il serait imputable et qui trahiraient la vulgarité, la grossièreté, l'empire du pire. Ni fade, ni lourd, ni bourgeois, ni peuple, parce qu'aristrocrate, il peut se boire avec tous les mets, et les sauces qu'on peut elles-mêmes construire avec son aide ne sont épaisses ni pâteuses : sa présence métamorphose la préparation en lui insufflant une éternelle dose de légèreté. Car les bulles sont la pierre philosophale de la table. En elles résident le style de ce vin, son identité... ainsi en parle le philosophe Michel Onfray dans son livre la *"Raison gourmande"*. Vous servirez le champagne à une température comprise entre 8 et 11°. N'oubliez pas que le champagne est vivant. Si vous lui faites subir de grands écarts de température vous altérez irrémédiablement son goût. Evitez donc le freezer pour refroidir au dernier moment une bouteille, utilisez plutôt de la glace dans un seau plein d'eau.

Les vins

QUELQUES MOTS D'HISTOIRE
"L'eau est une création divine, le vin, est un cadeau de l'homme" Les Grecs lui ont attribué Dionysos comme Dieu particulier ; ils l'ont rendu immortel... En Syrie, en Palestine et en Babylonie, les

fêtes du nouvel An, anniversaire du renouveau après le déluge, se faisaient avec d'énormes libations pour honorer le Marin-Vin-Nouveau. L'ivresse n'était pas scandaleuse... A d'autres temps d'autres mœurs et d'autres connaissances que nous avons à gérer. "L'abus d'alcool est dangereux pour la santé ; à consommer avec modération".

Nous savons désormais que boire du vin avec modération de 1/4 à 1/2 litre par jour est non seulement un plaisir gustatif mais aussi un facteur de bonne santé, des études ont démontré qu'à un faible niveau de consommation, le vin exerçait une protection du système cardio-vasculaire lié en partie à la présence de tanin. Sans que cela soit une incitation à boire du vin sachez que le vin contient de nombreux minéraux :

800 à 1000 mg/l de potassium,

100 à 200 mg/l de magnésium,

200 mg /l de phosphore,

70 à 100 mg/l de calcium,

70 à 100 mg/l de fer,

6 à 9 mg /l d'oligo-éléments (cuivre, manganèse).

Il contient aussi des vitamines du groupe B (B1, B2, B3, B5, B6) et il est pauvre en sodium.

Rappelons qu'un litre de vin représente 600-650 calories et beaucoup d'éthanol !

Boire du vin est un plaisir et non une nécessité physiologique aussi les conditions de dégustation sont vraiment importantes.

• LE DÉBOUCHAGE

Les vins rouges à boire à température ambiante sont à déboucher 1 heure avant. Découpez la capsule pour éviter tout contact du vin avec le métal au moment de verser dans un verre.

• LA DÉCANTATION

Réservez cette pratique aux bouteilles de vin ayant un dépôt important comme les très vieilles bouteilles. Prenez une carafe que vous aurez rincée à l'eau tiède, puis avec un petit peu de vin et faites coulez le vin délicatement le long de la paroi de la carafe, lorsque vous atteindrez le dépôt, relevez d'un coup sec. Les Bourgognes rouges ne se décantent pas.

LES TEMPÉRATURES

Le vin rouge de Bordeaux : 18°

Vin de Bourgogne16°

Vins rouges tanique et portos rouge 16° à 18°

Les vins rouges peu taniques : Beaujolais, Côtes du Rhône 14° à 18°

Vins blancs corsés liquoreux, rosés, portos blancs, Xérès 10° à12°

Vins blancs légers, acides, mousseux 8° à10°

LE VERRE

Sentez toujours vos verres avant de les mettre sur votre table, les odeurs et goût de détergents, de torchons ou de meubles dans lesquels vous les rangez pourraient nuire beaucoup à l'appréciation du vin. Rincez les verres à l'eau froide et claire, essuyez-les avec un torchon propre.

• L'ORDRE DE PRÉSENTATION

Respectez un ordre de succession pour que les vins ne se gênent pas entre eux. Le plus léger d'abord jusqu'au plus corsé, les vins secs avant les vins doux, les vins jeunes avant les vieux.

EXISTE-T-IL UN VIN IDEAL POUR ACCOMPAGNER UN REPAS ?

C'est dans une certaine mesure une question de goût. Il serait plus juste d'évoquer plusieurs vins particulièrement adaptés à tels mets.

• QUELQUES CONSEILS.

Les grands vins ne réclament pas forcément des plats compliqués. Un vin simple peu être très à sa place avec un mets complexe il agira par contraste. Un plat simple peu magnifier un vin de haute qualité.

Comme le Champagne, certains vins blancs moelleux seront de meilleur effet en apéritif et au moment du dessert.

Les bons vins sont millésimés. Le millésime, c'est l'année de naissance du vin. Ils ont aussi une Appellation d'Origine Contrôlée, sont mis en bouteille au château.

Une fois le vin acheté, ne le laissez pas dans une voiture au soleil. Ne placez pas le vin dans un congélateur.

Le vin ne doit pas être secoué, après un voyage, vous devez le laisser se reposer pour qu'il retrouve ses qualités.

Vous devez le laisser s'oxygéner en ouvrant la bouteille au moins une heure avant de le déguster.

Si vous avez choisi un grand vin, vous vous devez de le déguster d'une manière attentionnée. Versez le vin lentement le long de la paroi du verre et remplissez les verres à moitié tout au plus. Avant de boire concentrez-vous sur cette action, boire pour le plaisir des yeux, inclinez le verre pour jouer avec ses couleurs sa robe… Pour le plaisir du nez tenez votre verre horizontal approchez votre nez de la surface et flairez, humez, sentez, donnez des mouvements progressivement rotatifs pour bien dégager tous ses effluves, aspirez doucement, flairez tous ces bouquets, fermez les yeux, vos papilles vont commencer à le percevoir avant que vous ne l'ayez goûté. Pour le plaisir de la bouche, buvez délicatement à petits coups comme les oiseaux. Retournez chaque petite gorgée dans la bouche, utilisez votre langue, votre palais tout entier pour mieux le percevoir, l'apprécier, le juger. Mais l'indispensable est d'en parler, de rassembler ses souvenirs, les anciennes sensations, comparez, échangez vos plaisirs, vos critiques, avec les autres convives faites durer le plaisir.

Pensez comme pour les plats que vous allez manger, au temps et à l'attention nécessaires pour faire ce vin, mener cette bouteille à votre table, il faut si peu de temps pour manger et pour boire ce qui a été concocté avec beaucoup de science, de savoir-faire et d'amour...

Notre premier savoir vivre c'est notre savoir apprécier. Mais attention, une fois dans votre verre, le vin va rapidement se réchauffer, il est donc préférable de servir peu, de manière à ce que le vin ne s'altère pas dans le verre.

ILS SE MARIENT AVEC...

Voici quelques propositions pour accommoder au mieux vos plats avec les vins. Cela reste malgré tout une affaire de goûts, les uns ne boivent jamais de vin blancs, d'autres n'apprécient guère le rosé, la règle est en général la vôtre. Toutefois, si vous attendez un membre de la famille arrivant de Bourgogne avec de bonnes bouteilles, vous pourrez orienter en conséquence vos choix au moment de composer le menu.

• LES VINS D'ALSACE
Essentiellement blancs, ils accompagneront votre foie gras en brioche, la choucroute, le Munster, les asperges et même la charcuterie.

• LES VINS DE BORDEAUX
Avec les rouges, servez perdreaux, faisan, chevreuil, agneau, poularde, veau, le gratin Dauphinois et les truffes.
Les blancs accompagneront les produits de la mer comme le turbot, la daurade, les fruits de mer. Mais aussi... le lapin.

• LES BEAUJOLAIS
Il accompagneront essentiellement des viandes comme l'agneau, le veau, les volailles, le coq, les grives.

• LES VINS DE BOURGOGNE
Avec les rouges vous dégusterez vos cailles raisins, perdreaux, chevreuils, faisans, dindonneaux...
Les blancs serviront les fruits de mer, la sole, les coquilles saint Jacques, mais aussi le sanglier et le chapon.

• LE CHAMPAGNE
Summum de la fête, le Champagne accompagnera n'importe quel repas, pourtant vous devrez penser à ceux ou celles qui ne l'apprécient pas du tout.

• LES VINS DE CORSE
Vous les boirez avec vos fromages de brebis, le vin d'Ajaccio accompagnera votre terrine de merles.

• LES VINS DE LOIRE
Avec les blancs vous mangerez des langoustines, des fruits de mer, de la lotte, des anguilles, des cuisses de grenouilles. Avec les rouges vous cuisinerez la viande du canard.
• LES VINS DE PROVENCE
Avec les rouges, vous mangerez de la viande d'agneau, de sanglier. Avec le rosé vous apprécierez une blanquette de veau. Le blanc servira la viande du lapin.
• LES VINS DU RHONE
Vous servirez les rouges avec de la viande de bœuf, celle du lièvre, de la perdrix. Les blancs, accompagneront les poissons grillés, les écrevisses.
• LES VINS DU ROUSSILLON
Vous choisirez le Rivesaltes pour accompagner vos foies gras chauds.
• LES VINS DE SAVOIE
Les rouges accompagneront vos fromages, les blancs, vos langoustes.

> *" Aujourd'hui, l'espace est splendide !*
> *sans mords, sans éperons, sans brides,*
> *Partons à cheval sur le vin,*
> *Pour un ciel féerique et divin "*
> *Charles Baudelaire*

Le chocolat

Non, la marquise de Sévigné ne peut être, en aucun cas, considérée comme inventeur du chocolat. La spirituelle épistolière entretint seulement avec cette denrée exotique des rapports assez passionnés. Le 11 février 1671, c'est l'amour délirant. Elle écrit à Mme Grignan : « Si vous ne vous portez point bien, vous n'avez pas dormi, le chocolat vous mettra. Mais vous n'avez point de chocolatière ! J'y ai pensé mille fois. Comment ferez-vous ? » Le 15 avril suivant, c'est la déception : « Je peux vous dire, ma chère enfant, le chocolat n'est plus avec moi comme il l'était. La mode m'a entraînée comme elle fait toujours. Tous ceux qui m'en disaient du bien m'en disent du mal. On le maudit. On l'accuse de tous les maux qu'on a. Le 13 mai, elle s'affole car sa fille est enceinte : je vous conjure, ma très chère bonne et très belle, de ne point prendre de chocolat. En l'état où vous êtes, il vous serait mortel. » Le 23 octobre, cela devient de la paranoïa : « La marquise de Coëtlogon prit tant de chocolat, étant grosse l'année passée, qu'elle accoucha d'un petit garçon noir comme le diable et qui mourut. (La cour murmurait que le chocolat avait été apporté par un jeune esclave africain très affectueux.) A la fin du 19ème siècle, un chocolatier de Royat, qui avait des lectures, prit la véhémente Marquise de Sévigné pour emblème de sa marque, avec la fortune que l'on sait. Mais avant que la bonne dame ait trempé ses lèvres dans une tasse de chocolat, il y avait d'abord eu le cacao. Ou plutôt le cacahuaquachtl. Un arbre de 4 à 10 mètres de haut, qui poussait dans les forêts vierges du Yucatan et du Guatemala. Cacahuaquachtl signifie non seulement cacaoyer mais aussi et surtout "arbre", l'arbre des dieux Mayas...

(Histoire naturelle et morale de la nourriture, Maguelonne Toussaint-Samat chapitre 3 le chocolat et la divinité)

En 1770, on inaugura la première chocolaterie industrielle, celle des chocolats et thés Pelletier & Compagnie. Van Houten & Blvoker vit le jour à Amsterdam en 1815. Cailler investit la Suisse, à Vevey en 1819, Suchard occupant fermement Neuchâtel. Mais les premières véritables usines furent celles de Menier dans la région parisienne ! En 1826, Brillat-Savarin, le pape de la gastronomie, préconisait encore le chocolat ambré», qu'il nommait chocolat des affligés. Il le conseillait à ceux qui " auraient bu quelques traits de trop à la coupe des voluptés " ou temporairement devenus « bêtes, si que tout homme qui trouverait l'air humide, le temps long [...] ou tourmenté par une idée fixe ». Alexandre Dumas qui avait dû y goûter précise que « c'est très bon pour les personnes fatiguées par un travail quelconque ». C'est-à-dire pour beaucoup de gens. Le confiseur royal ou art du confiseur, publié à Paris en 1818, ne cite, en revanche, comme confiserie ou chocolat que la "pistache au chocolat de santé ", les "diablotins au chocolat" et une pastille-dragée fourrée de pâte de chocolat, « identique à celle qu'appréciait tant cette pauvre reine Marie-Antoinette » (sic).

Daniel Peter, un Suisse de Vevey, inventa enfin en 1875 le chocolat au lait. Gloire à lui ! Puis, il s'associa avec ses concurrents Cailler et Kohler. Les trois marques fusionnèrent avec Nestlé en 1929. La Suisse restera, désormais, un des hauts lieux du chocolat.

8
····

Les cadeaux

Offrir un cadeau, c'est consacrer du temps et de l'énergie pour quelqu'un d'autre que soi, c'est donner bien plus que ce qui l'est en apparence. C'est pourquoi nous disons tous : " c'est l'attention qui compte ". Derrière ce qui est effectivement offert, il y a cet autre don, le don de soi. Un peu de pensées pour un autre, d'ailleurs, un cadeau cela se pense.

Parfois, il faut l'avouer, les cadeaux peuvent devenir des casse-tête. Pas simple, en effet, de trouver le bon cadeau au bon moment.

Connaître intimement les êtres auxquels les cadeaux sont destinés ne facilite pas toujours la tâche. Toutefois, en étant un peu observateur et attentif, vous arriverez sûrement à déterminer ce qui manque à vos proches, ce dont ils ont envie.

Pensez qu'il est plus simple de trouver le bon livre que le bon parfum et qu'au prix d'un parfum, vous aurez toujours un magnifique livre.

Mais la qualité d'un cadeau c'est aussi la manière de le présenter, c'est-à-dire à la fois comment vous le donnez (pour Noël, c'est bien simple, au pied du sapin), et la façon dont vous l'avez emballé. L'emballage du cadeau, c'est l'objet de ce chapitre. De la plus traditionnelle à la plus fantaisiste, vous trouverez sûrement la manière qui vous conviendra le mieux, ou plus précisément celle qui conviendra le mieux à ceux qui recevront le cadeau ; ainsi vous emballerez peut-être le cadeau du grand-père militaire en retraite avec la plus grande sobriété tandis que le cadeau du petit Sébastien sera couvert de paillettes...

L'emballage des cadeaux

LES BOITES POUR EMBALLER ET EXPEDIER

Les emballages standard vendus pour l'expédition sont extrêmement pratiques, vous trouverez toute une gamme de boîtes à prix raisonnables, très commodes d'emploi et faciles à décorer. Vous pouvez acheter une boîte à la taille nécessaire et ensuite la recouvrir de papier adhésif, ou de toute autre sorte de papier (papier argenté, papier doré, papier cadeau) que vous collerez vous-même. Vous pouvez aussi les peindre au pinceau ou à la bombe. Procédez ainsi : appliquez plusieurs couches de peinture blanche afin d'obtenir un fond bien blanc. Ensuite, vous aurez la possibilité, par exemple, d'utiliser des pochoirs pour peindre des motifs décoratifs sur la boîte. Vous trouverez des pochoirs prêts à l'emploi dans les magasins de fournitures de beaux arts. Les boîtes à chaussures sont aussi extrêmement pratiques pour réaliser vos petits paquets cadeaux. Vous pourrez employer les mêmes moyens pour le décor.

Matériel :
- du carton
- une paire de ciseaux
- de la colle à papier

LA BOITE EN CARTON DE FORME CYLINDRIQUE

Dans du carton, découpez un disque d'un diamètre correspondant à l'objet à emballer. Ensuite, découpez un rectangle d'une largeur égale au périmètre du disque découpé (diamètre que multiplie 3,141) et d'une longueur proportionnelle à la hauteur de l'objet à emballer.

Fixez le rectangle autour du disque, vous pouvez renforcer l'assemblage avec du ruban adhésif à l'intérieur, à la jointure des deux bords.

Matériel :
- tissu
- colle pour tissu
- gallon

LA MEME BOITE EN TISSU

Vous pouvez aussi ajouter du tissu pour une boîte plus élaborée. Dans ce cas, découpez un rectangle de tissu à peine plus grand que celui en papier bristol. Avec de la colle pour tissu, vous fixerez votre tissu sur le bristol et pour la finition, collez un morceau de gallon d'un centimètre à la jointure.

Matériel :
• des papiers de toutes sortes
• une paire de ciseaux
• un rouleau de ruban adhésif
• du bolduc.

SANS BOITE, EMBALLAGES DE PAPIER

En ce qui concerne le papier, pensez d'abord à varier les plaisirs et les effets !

Ainsi, avant d'avoir recours au traditionnel papier cadeau, pourquoi ne pas employer du papier journal, ou du papier aluminium (celui-ci est très fragile et réclame de grandes précautions. Il ne peut servir à emballer que des objets sans angles droits.)

Faites aussi des photocopies montage avec le prénom de la personne à qui le cadeau est destiné. Faites des collages ! Vous pouvez imiter le style des courriers anonymes avec des coupures de presse !

Confectionnez votre propre papier d'emballage

Matériel :
• une bassine en plastique
• peinture à l'huile
• white spirit
• un pinceau ou un bâton

PAPIER MARBRE

Remplissez une bassine d'eau. Avec un pinceau ou un bâton, laissez goutter la peinture à l'huile sur la surface de l'eau. Le mélange n'est pas homogène, la peinture ne se mélange pas à l'eau, mais reste à la surface de celle-ci.

Tout en gardant votre feuille de papier dans les mains, posez-la à la surface de l'eau et retirez-la aussitôt. Les méandres de la peinture à la surface de l'eau se trouvent reproduits sur le papier. Laissez sécher la feuille. Pour éviter de la voir se gondoler ou pour que les coins ne se recourbent pas, fixez la feuille sur une table avec du ruban de kraft gommé. Cela suppose la perte de la bordure de la feuille. Réalisez un décor à la manière de l'artiste américain Jackson Pollock. Avec un bâton, trempez dans la couleur, réalisez des coulures sur le papier. Faites-le en musique et multipliez les couleurs !

Pour emballer des bonbons et des chocolats

Matériel :
- tissu
- lacet ou ruban de votre choix
- ciseaux

SAC EN TISSU

Découpez un disque de tissu d'une taille relative à l'objet que vous désirez emballer . Placez l'objet au centre. Refermez la pièce de tissu au dessus de l'objet et serrez avec un lacet, un ruban de bolduc, un ruban de velours, ou une pince à linge en bois peint de couleur dorée. Réalisez le même sac en tulle fluorescent.

Plus compliqué. Coupez un rectangle dans une pièce de tissu pliée en deux. Fermez ensuite par des coutures en réservant l'ouverture pour retourner la pochette comme un gant et cacher les coutures à l'intérieur.

Garnissez avec les friandises de votre choix. Refermez avec un ruban comme indiqué plus haut.

Matériel :
- un carré de papier ou de bristol
- ruban adhésif
- une paire de ciseaux
- un crayon à papier

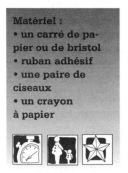

UN CORNET SURPRISE

Tracez légèrement une diagonale du carré en joignant deux angles (à l'intérieur de la feuille si celle-ci a un sens). Rabattez l'angle gauche du carré le long de cette diagonale. Répétez l'opération avec l'angle droit. Fixez avec du ruban adhésif. Toujours selon cette diagonale, repliez le cornet en deux (sans trop marquer la pliure) et arrondissez chaque côté en découpant les angles. Remplissez le cornet et rabattez les côtés du pan supérieur (le couvercle) toujours le long de la diagonale. Vous pouvez arrondir l'extrémité du couvercle en découpant la pointe qu'il faudra raccourcir. Rabattez de manière à fermer et fixez avec un morceau de ruban adhésif ou encore avec une étiquette au nom du destinataire.

Pour emballer une sphère

PAQUET PLISSE

Munissez-vous d'une feuille carrée assez grande pour recouvrir entièrement la sphère et arrondissez les angles. Rabattez un des côtés de la feuille de papier sur la sphère et fixez-le avec un mor-

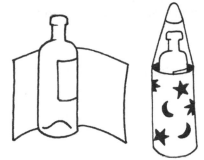

ceau de ruban adhésif. Commencez une suite de plis en tournant tout autour de la sphère. Fixez de temps à autre afin de vous simplifier la tâche. Terminez par un petit nœud de bolduc.

POUR EMBALLER UN CYLINDRE

Le cylindre à emballer, cela peut être une bonne bouteille de vin, du champagne. L'ennui avec ce type de cadeau, c'est qu'il est tout de suite dévoilé. Voici quelques idées pour ménager le suspens plus longtemps.

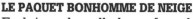

Matériel :
• un cylindre de carton
• du coton hydrophile
• du papier à dessin orange (un petit morceau)
• une balle de tennis

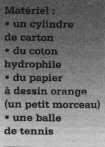

LE PAQUET BONHOMME DE NEIGE

Enduisez de colle la surface du cylindre de carton. Roulez le cylindre sur un tapis de coton hydrophile de manière à ce qu'il en soit recouvert. Renouvelez cette opération avec la balle de tennis. Collez la balle sur le corps-cylindre. Froissez un petit morceau de papier orange puis faites un cône, à l'imitation d'une carotte.

Dans du carton épais, découpez la forme d'une pipe en deux exemplaires que vous collerez l'un sur l'autre. Coupez ensuite légèrement en biseau avec une paire de ciseaux, de manière à effiler l'extrémité de la pipe. Faites un petit trou d'épingle dans la bouche (un croissant de lune découpé dans du papier rouge ou peint en rouge) pour emmancher la pipe. Découpez les yeux dans du papier noir, deux petits cercles. Collez-les et ajoutez une pointe de blanc pour indiquer le regard.

Pour le chapeau, découpez un disque dans du papier de couleur (en plaçant quelques languettes de fixation). Découpez un rectangle, enroulez-le autour de ce disque et collez. Découpez un disque plus grand pour le rebord du chapeau. Avec un petit morceau de ruban, vous pouvez faire une écharpe à votre bonhomme de neige, nouez-la autour de son cou.

Bouchez l'autre extrémité du paquet-bonhomme de neige avec un disque de carton.

Quand l'emballage devient cadeau

Inspirez-vous des magasins, ils ont pris parfois l'habitude de réaliser des emballages qui sont en eux-mêmes des cadeaux, comme le panier en osier pour contenir les boules de bains moussant.

PAQUET SURPRISE

Si tous les paquets sont par définition des surprises, vous pouvez en rajouter dans le mystère. Traditionnellement, le paquet cadeau façon poupées russes constitue le gag classique avec ses paquets gigantesques qui en renferment de plus petits, jusqu'au paquet qui contient effectivement le cadeau. Vous pouvez toujours emballer une bague dans un paquet d'un mètre cube. Pensez aussi à ces marchands qui vendent des tee-shirts dans des boîtes de conserve. Faites "emboîter" ainsi des savonnettes, des chocolats...

REALISEZ DIFFERENTS DECORS SUR VOS EMBALLAGES

Pour augmenter les fantaisies de votre paquet pourquoi ne pas coller des objets tels que fruits en plastique, animaux, fleurs... vous les trouverez sur des vieilles broches. Pour unifier la pièce rapportée à son support, n'hésitez pas à la peindre de la même couleur. Ou encore, agrémentez vos paquets de fleurs séchées, de pots-pourris, de boules de Noël.

Créez votre décor

Avec de la colle ou du vernis, tous deux incolores, peignez les formes de votre choix sur vos paquets cadeaux. Saupoudrez immédiatement de paillettes. Laissez sécher. Epoussetez pour chasser les paillettes en trop, vous pouvez aussi aspirer mais en gardant au moins 15 cm entre la surface du décor et le tube de l'aspirateur. Vos décors apparaissent en relief pailletés.

BOMBES ET POCHOIRS

Vous pouvez aussi utiliser des pochoirs pour appliquer la colle ou le vernis. Le résultat sera peut-être plus net, tout dépend de votre habileté au pinceau.

PAPIERS PEINTS

Utilisez les papiers peints unis (de couleur claire de préférence) au décor en relief pour emballer vos cadeaux. Avec des crayons de couleur gras, vous pourrez appliquer de la couleur sur les parties en relief. L'effet très subtil a un caractère rétro.

VOS DECORS AU TAMPON

Vous pouvez réaliser vous même vos tampons de motifs décoratifs. Ils vous permettront d'imprimer plusieurs fois le même motif sans effort. Cette technique est inverse à celle du pochoir qui consiste en une silhouette vide, en négatif, à travers laquelle on applique la couleur. Le tampon est, au contraire, taillé de façon à ce que la forme voulue soit dégagée en relief dans la matière travaillée. Il y a deux solutions : la première est rudimentaire et très économique, la seconde est plus sophistiquée et plus onéreuse. La pomme et la pomme de terre. Coupez l'une ou l'autre en deux. A la surface, tracez avec la pointe d'un couteau la silhouette du motif de votre choix puis, taillez la surface pour en dégager en relief la forme dessinée.
Trempez ensuite le tampon dans une peinture de consistance plutôt épaisse. Ne chargez pas le tampon de trop de couleur à la fois. Appliquez sur toutes les surfaces désirées. Le linoléum permet de réaliser un tampon plus durable. Vous devrez vous procurer des plaques de linoléum et au moins une gouge (pour les gouges, voyez chez les soldeurs). Le principe est identique à celui utilisé avec pomme et pomme de terre. Il s'agit à partir d'une esquisse de dégager en relief le motif désiré. Ensuite, vous encrez et vous appliquez sur la surface à décorer.

DES PAQUETS COMME DES CARTES À JOUER

Cette idée d'emballage est particulièrement adaptée pour les paquets de livres au format rectangulaire, pour les boîtes de jeux de société. Il vous faudra de préférence deux sortes de papier, l'une aussi décorative que vous le souhaitez, pensez à l'aspect général du dos des cartes à jouer. L'autre sera de préférence blanc. Commencez par emballer la totalité de l'objet avec du papier blanc. Rapportez sur une seule face un rectangle légèrement plus petit (le revers décoré de la carte). Sur la face blanche, ajoutez selon votre désir les symboles d'un as, d'un roi, d'un valet, d'un dix...

OFFREZ DES DES

Emballez vos paquets dans des boîtes carrées, même si les cadeaux ne le nécessitent pas. Choisissez un papier uni, bleu, rouge, blanc, vert, une couleur vive sera la bienvenue. Dans un papier de couleur contrastée par rapport à celle que vous avez choisie pour votre paquet, découpez 21 disques de la même taille (proportionnelle aux dimensions de votre paquet). Collez les disques sur la surface du dé, le total des faces opposées doit être égal à 7. Ainsi en face du 4 se trouve le 3. En face du 6 se trouve le 1. En face du 5 se trouve le 2.

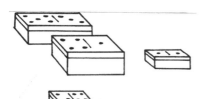

OU BIEN OFFREZ DES DOMINOS !

En reprenant le principe du dé, les dominos accentueront l'intérêt ludique des cadeaux. Vous pouvez jouer en les disposant au pied du sapin. Il faut cette fois concevoir des emballages rectangulaires.

DES PAQUETS AVEC DES DECORS DE NAPPERONS

Dans du joli papier uni emballez vos paquets. Décorez-les ensuite avec des napperons de papier qu'il vous suffira de coller avec la plus élémentaire des colles de bureau. Il en existe de différentes tailles, vous pourrez les répartir selon votre fantaisie, sur les angles seulement, au milieu de chaque face du paquet, d'une façon aléatoire...

Matériel :
• un vieux livre
• de la colle à tapisserie

TRANSFORMEZ UN LIVRE EN BOITE-CADEAU

Choisissez de préférence un vieux livre que vous n'aimez plus, mais dont la reliure est d'assez bonne qualité et la couverture épaisse.

Collez les feuilles entre elles avec de la colle à tapisserie, placez une feuille isolante entre la couverture et les pages du livre et un poids assez lourd sur le livre. Laissez sécher longuement (plusieurs jours de préférence).

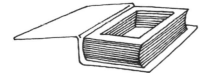

Ensuite ouvrez le livre à la première page et tracez avec un crayon à papier et une règle graduée un rectangle correspondant à l'évidement que vous pratiquerez dans le livre. Avec un ciseau à bois réalisez l'évidement. La boîte est finie.

REALISEZ UN PAQUET EN FORME DE LIVRE

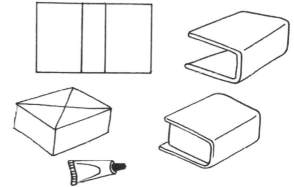

Dans une boîte rectangulaire, emballez votre cadeau avec un papier de nature à évoquer ensuite les feuilles d'un livre, un papier uni blanc ou doré par exemple.

Découpez un rectangle de carton aux dimensions de votre paquet plus 1 cm pour la hauteur et la largeur. Dans ce rectangle déterminez-en 3 autres de la manière suivante : A et C formeront les plats de couverture du livre, B sera la tranche. Pratiquez de très légères incisions le long des lignes qui séparent A de B et B de C, sans détacher chaque partie de l'autre, mais de manière à pouvoir réaliser le pliage sans problème. Habillez ensuite cette couverture du papier de votre choix. Inventez une collection et composez votre propre couverture ou bien imitez les grandes collections connues comme l'Encyclopédia Universalis, la pléiade, le livre rouge de Mao. C'est l'occasion de penser votre emballage en fonction du destinataire.

Matériel :
• une boîte d'emballage de type Brik
• une cravate ou un nœud papillon
• du papier de couleur clair
• du papier blanc
• de la colle
• des ciseaux

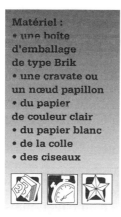

TENUE CORRECTE EXIGÉE

Emballez votre boîte Brik de papier de couleur claire et unie dans le style chemise classique, bleu ciel, rose pâle. Fixez sur le haut de la boîte un bandeau de papier bristol dans lequel vous ôterez une petite bande sur une face et la moitié de sa hauteur. Vous rabattrez les angles de façon à imiter un col cassé. Nouez autour de ce col une vieille cravate, ou la cravate que vous offrez avec la montre qui se trouve dans cet emballage. Ou bien choisissez un nœud papillon.

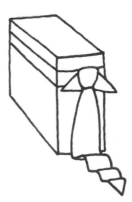

Matériel :
- papier peint
- frésille
- des ciseaux
- du ruban adhésif décoratif

DONNEZ DU RELIEF

Voici comment donner un peu d'ampleur aux cadeaux dont le faible volume ne prête guère à la fantaisie.

Dans une feuille de papier peint (ou tout autre type à votre goût) pliée en 2, découpez un carré largement plus grand que l'objet à emballer. Avec du ruban adhésif décoratif fermez les deux côtés. Pour l'unité décorative placez aussi une bande sur le bord plié. Remplissez avec de la frésille et placez votre paquet avant de fermer le coussin d'un morceau de ruban adhésif.

Matériel :
- du papier de couleur
- colle ou adhésif 2 faces
- une paire de ciseaux

OFFREZ UN CHAPEAU !

Idéal pour les boîtes rondes de chocolats ou de marrons glacés, le paquet cadeau en forme de chapeau ne manquera pas de surprendre.

Découpez dans du carton souple coloré une bande d'une longueur légèrement supérieure au périmètre du cadeau à emballer (diamètre X 3,141) et d'une largeur 3 fois plus élevée. Enroulez cette bande sur la tranche de la boîte. Rabattez au moyen de petits plis, le

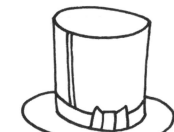

carton qui dépasse au dessus comme au dessous et fixez avec du ruban adhésif.

Avec un disque du diamètre de la boîte fermez le dessus du chapeau. Avec un disque d'un diamètre supérieur d'environ huit centimètres à celui de la boîte composez le bord du chapeau.

Vous pouvez pousser plus loin la fantaisie en ajoutant un ruban de couleur différente autour du chapeau. Pour un chapeau bucolique, vous ajouterez des fleurs séchées, un petit papillon de papier...

Sur le même principe, réalisez un chapeau haut-de-forme. Découpez comme dans l'exemple précédent une bande de papier un peu plus grande que le périmètre de la boîte à emballer, mais cette fois, beaucoup plus haute que celle-ci, comptez environ 30 cm. La suite est identique, toutefois, vous avez plus de place pour le décor.

DES PAPILLOTES PAQUETS-CADEAUX

Récupérez les cylindres de carton sur lesquels s'enroule le papier toilette ou achetez un tube de carton dont vous déterminerez vous-même la longueur. Découpez une feuille

Matériel :
• un petit cylindre de carton
• papier décoratif de votre choix
• bolduc
• ruban
• colle

de papier deux fois plus longue que le tube et légèrement plus large que le périmètre du cylindre (diamètre X 3,141). Enroulez cette feuille sur le cylindre de manière à ce que le papier dépasse d'une longueur égale. Serrez chaque extrémité avec un ruban de votre choix, de velours, ou bolduc.

REALISEZ UN SAC EN PAPIER

Matériel :
• du papier assez épais mais souple
• du ruban adhésif double face
• une boîte rectangulaire comme gabarit
• éventuellement un cordon

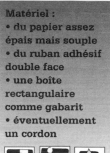

Utilisez une boîte rectangulaire en plastique ou en carton comme gabarit pour réaliser le pliage de votre sac. Placez cette boîte sur votre feuille et rabattez l'extrémité de la feuille qui formera le fond du sachet comme indiqué sur l'illustration , formez bien les plis. Ensuite, repliez les côtés comme si vous alliez emballer le gabarit, fixez avec du ruban adhésif double face. Repliez le sac sur lui-même en appuyant bien de

manière à marquer fermement les plis. La suite dépend de vos goûts. Vous pouvez peindre au pochoir votre sac ou le décorer de pièces rapportées comme fruits et animaux en plastiques, broches, étoiles et croissant de lune autocollants. Pour fermer et porter, percez le haut du sac et passez le lacet d'un côté à l'autre.

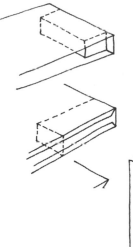

Faites des cadeaux vous-même !

Petits cadeaux faits de vos mains, ils seront sentimentaux et touchants et plairont à coup sûr.

Matériel :
- du blanc de baleine (40 g environ)
- du miel (40 g environ)
- 2 citrons
- du colorant alimentaire
- de l'essence de parfum
- un savon de Marseille (250 g environ)
- des moules de la forme de votre choix

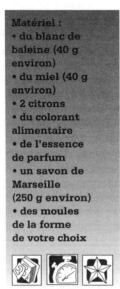

DES SAVONS POUR OFFRIR DES CADEAUX QUI SENTENT BON

Placez sur le feu une casserole aux trois quarts pleins d'eau et portez à ébullition. Préparez les moules : passez leur paroi à l'huile de cuisine (avec un pinceau). Râpez le blanc de baleine avec le savon. Pressez les citrons.

Filtrez le jus obtenu pour qu'il n'y ait ni pépins ni résidu de pulpe.

Dans un récipient résistant à la chaleur, ajoutez le jus de citron avec le miel au râpé de blanc de baleine et de savon et mélangez en chauffant au bain-marie ; placez le récipient contenant le mélange dans la casserole pleine d'eau bouillante.

Une fois le mélange homogène et lisse mais encore épais, ajoutez le parfum et / ou le colorant. Attention, si vous souhaitez réaliser des savons de couleurs différentes, séparez la pâte, un récipient pour chaque couleur.

Coulez dans les moules Laissez refroidir au réfrigérateur durant toute une nuit. Démoulez le lendemain, laissez sécher à l'air libre. Pour la présentation, nouez un ruban autour du savon. Enveloppez le savon dans du papier transparent irisé ou bien avec du tulle.

FAITES DES PIN'S AVEC VOS ENFANTS !

Avec de la pâte à modeler durcissant à l'air ou de la pâte plastique séchant à l'air. De tous les travaux manuels, peu enchantent autant les enfants que les modelages en pâte à modeler. A l'occasion de Noël, ils pourront réaliser ainsi de jolis petits cadeaux, pourquoi pas des pin's !

Rien de plus facile à confectionner qu'un petit modelage surtout si vous utilisez des moules à l'emporte-pièce que les enfants savent très vite bien manier. Vous en trouverez de toutes les formes à des prix raisonnables. Les enfants peuvent aussi donner libre cours à leur imagination et fabriquer de petits pères Noël, des sapins…

AIDEZ VOS ENFANTS A FAIRE UN PUZZLE

Matériel :
• du contre-plaqué
• une image
• de la colle
• une scie de type dit bocfil

Choisissez une image de père Noël ou de n'importe quel sujet de circonstance. Collez-la sur une plaque de fin contre-plaqué (2-3 mm). Tracez au revers des bandes parallèles de quelques centimètres de large. Composez un autre réseau de bandes parallèles, mais perpendiculaire au premier. Découpez dans la longueur puis coupez chaque pièce. Si vous voulez faciliter la tache de celui à qui le cadeau est destiné, vous pouvez numéroter les pièces. Une autre possibilité consiste à reporter ce schéma sur une feuille de papier.

CADEAUX PLATEAU DE FROMAGE

Matériel :
• une planche carrée de bois ordinaire de type aggloméré de 30 cm de côté et de 19 mm d'épaisseur (taille standard)
• une planche de contre-plaqué de 8 mm d'épaisseur et d'environ 200 cm de longueur et 30 cm de large
• 4 carreaux de faïence
• colle pour carreaux
• colle à bois
• peinture pour le bois

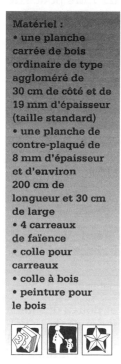

• CONSTRUCTION DU COUVERCLE

Coupez 2 morceaux de la planche à 30 cm de longueur et 2 autres à 30 cm + l'épaisseur des planches du couvercle (8 mm si vous suivez les indications ci-dessus.

Assemblez avec de la colle et des pointes sans tête. Chassez les pointes avec un chasse-pointe ou un autre clou plus gros et un marteau pour qu'elles ne dépassent pas à la surface du bois.

Coupez le dernier morceau à 30 cm de côté par 30 + l'épaisseur du bois. Collez, clouez pour fermer le couvercle.

Découpez la poignée et fixez-la avec de la colle et des clous.

Il ne reste qu'à peindre votre décor de paquet cadeau. C'est à vous de voir pour les couleurs, les possibilités sont sans limites, pensez en tous cas à décorer un vrai faux-papier cadeau en utilisant les moyens d'impression que vous offrent la pomme, la pomme de terre et la linéogravure sans oublier toutes les formes de pochoirs possibles.

• CONSTRUCTION DU PLATEAU

Coupez votre rectangle de 30 x 30 cm. Enduisez-le de colle pour carreaux de faïence puis, placez les carreaux. Vous pouvez laisser un espace de 2 ou 3 mm entre chaque carreau, les joints. Il est possible de colorer les joints de différentes couleurs pour mettre en valeur les carreaux.

UN SIMPLE DESSOUS DE PLAT

De fait, si vous ne réalisez pas le couvercle, vous obtenez un dessous de plat. Dans ce cas variez la forme générale en l'adaptant au thème de Noël. Découpez et peignez des étoiles au pochoir sur carreaux de faïences et leur support. Mais ne coupez pas les carreaux, ne couvrez toujours qu'une surface carrée.

Et encore des idées...

Matériel :
• du bolduc gommé.

DES ROSETTES EN UN TOUR DE DOIGT

Enroulez le bolduc autour de votre pouce de manière à former une boucle. Collez en humidifiant les points de contact. Enchaînez une autre boucle, etc. jusqu'au nombre souhaité.

Prenez un peu votre temps et laissez bien sécher la gomme du bolduc afin que votre ouvrage ne se détruise pas en quelques minutes. Vous pouvez ensuite coller la rosette sur un paquet avec du ruban adhésif double face.

UN NŒUD PAPILLON

Prenez l'extrémité d'un ruban de bolduc et repliez-la de manière à former une boucle. Pincez le milieu de cette boucle et répétez l'opération jusqu'à obtention du nombre de boucles voulues (évitez de dépasser la largeur du paquet).

Fixez au milieu avec un morceau de ruban adhésif. Vous pouvez aussi réaliser d'autres nœuds que vous fixerez en diagonale.

LES BOUCLETTES DE BOLDUC

Déroulez du bolduc de la bobine sans le couper et nouez des liens autour du paquet. Coupez en laissant largement dépasser le bolduc du nœud. Pincez l'un des rubans de bolduc au bord du nœud entre le pouce et la lame d'une paire de ciseaux et remontez ainsi toute la longueur du ruban dans un mouvement ample. Le bolduc doit friser.

Il est parfois nécessaire de s'y reprendre plusieurs fois pour un long morceau. Mais si vous repassez la lame sur un morceau mal frisé, vous risquez de l'aplatir irrémédiablement.

Le geste est très simple en pratique, en quelques essais, vous y parviendrez très bien.

NŒUDS GRAND STYLE POUR PAQUETS DE NOEL

Pour créer de jolis nœuds frisés, nouez de nombreux morceaux de bolduc au centre des liens du paquet (variez les couleurs à souhait) et frisez en étirant doucement le bolduc entre le pouce et la lame d'une paire de ciseaux !

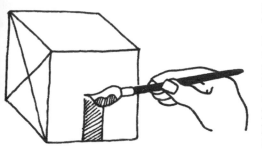

PAQUETS EN TROMPE-L'ŒIL

Vous n'avez plus de bolduc pour emballer un dernier cadeau, vous n'avez même plus de papier de qualité. Prenez du papier ordinaire, emballez votre cadeau le plus simplement du monde, puis peignez les rubans qui se croisent en utilisant des pochoirs. Si vous êtes très habile avec un pinceau, la main suffira. Il n'est pas dit qu'un léger tremblement du trait ne rende pas votre " trompe-l'œil " plus touchant. Pour un résultat plus réaliste, il faut utiliser une couleur légèrement plus sombre pour peindre le bord du ruban afin d'indiquer une ombre.

LES EMBALLAGES DE BRIK OU LE GRAND RECYCLAGE

Les boîtes de type brik qui servent à emballer le lait, les soupes et les jus de fruit peuvent être d'un grand secours. Elles constituent une base solide pour une boîte rectangulaire. Il ne vous reste qu'à la recouvrir du papier de votre choix ou encore à la peindre.

9

Contes et chansons de Noël

Une histoire ! une histoire ! s'écrièrent les enfants. D'un point de vue strictement littéraire, Noël, c'est un conte. Dans la Bible, les anges s'adressent aux bergers pour leur annoncer la venue de l'homme dont la vie va changer l'Histoire. On se souvient, une histoire c'est un souvenir. Afin de mieux le garder une fête est organisée, la fête de Noël. Alors, chaque année, on se réunit pour raconter ; les récits s'accumulent, on s'offre d'autres histoires et on rêve... On chante aussi...

Chansons

Il est né le divin enfant

> Il est né le divin enfant,
> Jouez hautbois, résonnez musettes,
> Il est né le divin enfant,
> Chantons tous son avènement.
>
> Depuis plus de quatre mille ans,
> Nous le promettaient les Prophètes,
> Depuis plus de quatre mille ans,
> Nous attendions cet heureux temps.

Ah ! qu'il est beau, qu'il est charmant !
Ah que ses grâces sont parfaites !
Ah ! qu'il est beau qu'il est charmant !
Qu'il est doux ce divin enfant.

Une étable est son logement,
Un peu de paille est sa couchette,
Une étable est son logement,
Pour un Dieu quel abaissement !

Partez grands rois de l'Orient,
Venez vous unir à nos fêtes !
Partez grands rois de l'Orient,
Venez adorer cet enfant !

Il veut nos cœurs, il les attend,
Il naît pour faire leur conquête,
Il veut nos cœurs, il les attend,
Donnons-les lui donc promptement.

O Jésus, ô Roi Tout-puissant,
Tout petit enfant que vous êtes !
O Jésus, ô roi tout-puissant,
Régnez sur nous entièrement !

Entre le bœuf et l'âne gris

Entre le bœuf et l'âne gris
Dort, dort, dort le petit fils

Refrain

Mille anges divins mille séraphins
Volent alentour de ce grand Dieu d'amour

Refrain

Entre les deux bras de Marie
Dort, dort, dort le fruit de la vie

Refrain

Entre les roses et les lys

Dort, dort, dort le divin fils
Refrain

Entre les pastoureaux jolis
Dort, dort, dort le petit fils.

Refrain

Douce nuit, sainte nuit

Douce Nuit, sainte Nuit,
Tout s'endort au dehors,
Le saint couple seul veille
Sur l'enfant qui sommeille
Au ciel l'astre reluit !
Au ciel l'astre reluit !

Douce nuit, sainte nuit,
Quel bonheur dans les cœurs
Quand les bergers entendent
Les saints anges qui chantent
" Il est né le sauveur ! "
" Il est né le sauveur ! "

Douce Nuit sainte Nuit,
Jetez-vous à genoux !
Bergers, c'est le Messie,
Jésus né de Marie,
Dieu fait homme pour nous !
Dieu fait homme pour nous !

Les anges dans nos campagnes

Les anges dans nos campagnes
Ont entonné l'hymne des cieux
Et l'écho de nos montagnes
Redit ce chant mélodieux

In excelcis deo Gloria

Bergers quittez vos retraites unissez-vous à leur concert

157

Et que vos tendres musettes
Fassent retentir les airs !

Gloria in excelcis
Deo !
Gloria in excelcis
Deo !

Mon beau sapin

Mon beau sapin roi des forêts
Que j'aime ta verdure
Quand par l'hiver bois et guérets
Sont dépouillés de leurs attraits,
Mon beau sapin, roi des forêts,
Tu gardes ta parure.

Toi que Noël planta chez nous
Au saint anniversaire,
Joli sapin comme ils sont doux
Et tes bonbons, tes joujoux,
Toi que Noël planta chez nous
Par les mains de ma mère.

Mon beau sapin tes verts sommets
Et leur fidèle ombrage,
De la foi qui ne ment jamais,
De la constance et de la paix,
Mon beau sapin tes verts sommets
M'offrent la douce image.

Jingle bells

Dashing thro' the snow
In a one horse open sleigh
O'er the fields we go,
Laughing at the way.
Bells on bobtail ring,
Making spirits bright,
What fun it is to ride and sing
A sleighing song tonight

Refrain
Jingle bells ! jingle bells !
Jingle all the way !
Oh what fun it is to ride in a one horse open sleigh !
Oh jingle bells ! jingle bells !
Jingle all the way !
Oh what fun it is to ride
In a one horse open sleigh !

Day or two ago
I thought I'd take a ride,
Soon Miss Fanny Bright
Was scared at my side.
The horse was lean and lank,
Misfortune seemed his lot,
He got into a drifted bank
And then we got upsot !

Refrain

Now the ground is white,
Go it while you're young !
Take the girls tonight,
And sing this sleighing song
Just get a bobtail'd bay,
Two forty for his speed,
Then hitch him to an open sleigh
And crack ! You'll take the lead.

Refrain

Vive le vent

Vive le vent, vive le vent,
Vive le vent d'hiver,
Qui s'en va, sifflant, soufflant
Dans les grands sapins verts, oh !

Vive le vent vive le vent,
Vive le vent d'hiver,
Boule de neige et jour de l'An
Et bonne année, grand-mère !

Notre beau cheval blanc
S'élance sur la neige,
Glissant comme une flèche
Par les bois et par les champs.
Tout autour du harnais
S'agitent les clochettes,
Nous partons à la fête,
C'est Noël, chantons gaiement, Oh !

Quittez pasteurs

Quittez, pasteurs,
Vos brebis, vos houlettes,
Votre hameau,
Et le soin du troupeau...
Changez vos pleurs
En une joie parfaite,
Allez tous adorer
Un Dieu, un Dieu,
Un Dieu qui vient vous consoler...(bis)

Rois d'Orient,
L'étoile nous éclaire...
A ce grand Roi,
Rendez hommage et foi...
L'astre brillant
Vous mène à la lumière
De ce soleil naissant...
Offrez, offrez,
Offrez-leur la myrrhe et l'encens...(bis)

Les rois mages

De bon matin, j'ai rencontré le train
De trois grands rois
Qui allaient en voyage.
De bon matin, j'ai rencontré le train
De trois grands rois
Dessus le grand chemin.

Venaient d'abord les gardes du corps

Des gens armes
Précédés de petits pages.
Venaient d'abord les gardes du corps
Dorés partout
Dessus leur justaucorps.

Dedans un char doré de toute part
J'ai vu passer les superbes Rois Mages.
Dedans un char doré de toute part
J'ai vu Gaspard, Melchior et Balthazar.

Trois ânons blancs portaient des présents
Qu'ils apportaient à l'Enfant en hommage.
Trois ânons blancs portaient des présents
Des coffres d'or, de myrrhe et d'encens.

La berceuse de Nedelek

Il n'y avait ni chandelle, ni feu
Dans la crèche où naquit l'enfant-Dieu
Dans la crèche où Jésus naquit
Sur une jonchée de foin vert,
Lui, le Rédempteur, le Messie !
Il n'y avait ni feu, ni chandelle ;
Le vent soufflait à travers le toit ;
Mais dans la nuit mille cierges de cire
Brillaient plus clairs que la lune ;
Et c'étaient les anges qui faisaient le vent
En battant le ciel de leurs ailes.

Régionalisme

Anet

Adieu Noël, Noël s'en va
Sa femme à cheval
Ses petits enfants
Qui vont par devant
La p'tite Pierette
Qui port' la galette

Le p'tit Pierrot
Qui port'le gâteau
Adieu Noël.

A Noël la tradition du don, pour que la fête soit belle et partagée de tous a engendré la rédaction de quelques couplets cocasses qui en disent long sur les dangers courus par les pingres égoïstes.

LA ROCHE-SUR-YON
Si vous ne voulez rien nous donner
Nous irons aux joucs aux poules
Nous prendrons tous vos chapons

LA VENDÉE
Si vous ne voulez rien nous donner
Prendrons la fille aînée
Celle qui met le pot au feu
Dedans la cheminée
L'emmènerons dans les verts prés
Lui apprendrons le jeu d'aimer

(ou encore)
Dieu vous conserve la santé
Comme l'eau dans un panier percé
Que Dieu vous donne
Diarrhée mortelle
Jusqu'à l'autre Noël

Contes et poésies

Charles D'Orléans : Yver vous n'êtes qu'un vilain

Yver, vous n'estes qu'un vilain,
Esté est plaisant et gentil,
En tesmoing de May et d'Avril
Qui lacompaignent soir et main.

Esté revest champs, bois et fleurs,
De sa livrée de verdure

Et de maintes autres couleurs,
Par l'ordonnance de Nature.

Mais vous, Yver, trop estes plain
De nege, vent, pluye et grezil
On vous deust banir en essil.
Sans point flater, je parle plain,
Yver, [vous n'estes qu'un villain !]

En yver, du feu, du feu,
Et en esté, boire, boire,
C'est de quoy on fait memoire,
Quant on vient en aucun lieu.

Ce n'est ne bourde, ne jeu,
Qui mon conseil vouldra croire :
En yver, [du feu, du feu,]
Et en esté, boire, boire.

Chaulx morceaulx faiz de bon queu
Fault en froit temps, voire, voire ;
En chault, froide pomme ou poire
C'est l'ordonnance de Dieu :
En yver, [du feu, du feu !]

Rondeaux, xve siècle.

Jean Tauler : Noël

Il nous arrive un navire,
Il porte une charge précieuse,
Des troupes d'anges s'y trouvent,
Il a un grand mât.

Le navire nous arrive chargé,
C'est Dieu le père qui l'a envoyé,
Il nous apporte un grand secours,
Jésus notre Sauveur.

Marie a conçu
De sa chair et de son sang
Le petit enfant prédestiné.
Il fut homme et le vrai Dieu.

Le voici couché dans le berceau,
Le cher enfançon,
Sa figure rayonne comme un miroir :
Qu'il soit loué !

Marie, mère de Dieu,
A toi nos louanges !
Jésus est notre frère,
Le cher petit enfant.

Je voudrais embrasser l'enfant
Sur sa bouche gracieuse,
Et si j'étais malade, pour sûr,
Cela me donnerait la guérison.

Marie, mère de Dieu,
Tes louanges se chantent partout !
Jésus est notre frère,
Il te donne une grande dignité.

Recueil de Cantiques, 1543.

François Villon : Ballade des proverbes

Tant gratte chèvre que mal gît,
Tant va le pot à l'eau qu'il brise,
Tant chauffe-t-on le fer qu'il rougit,
Tant le maille-t-on qu'il se débrise,
Tant vaut l'homme comme on le prise,
Tant s'éloigne-t-il qu'il n'en souvient,
Tant mauvais est qu'on le déprise,
Tant crie-l'on Noël qu'il vient.

Tant parle-t-on qu'on se contredit,
Tant vaut bon bruit que grâce acquise,
Tant promet-on qu'on s'en dédit,
Tant prie-t-on que chose est acquise.
Tant plus est chère et plus est quise,
Tant la quiert-on qu'on y parvient,
Tant plus commune et moins requise,
Tant crie-l'on Noël qu'il vient.

Tant aime-t-on chien qu'on le nourrit,

Tant court chanson qu'elle est apprise,
Tant garde-t-on fruit qu'il se pourrit,
Tant bat-on place qu'elle est prise,
Tant tarde-t-on que faut l'emprise,
Tant se hâte-t-on que mal advient,
Tant embrasse-t-on que chet la prise,
Tant crie-l'on Noël qu'il vient.

Tant raille-t-on que plus on ne rit,
Tant dépense-t-on qu'on n'a chemise,
Tant est-on franc que tout se frit,
Tant vaut «Tiens!» que chose promise,
Tant aime-t-on Dieu qu'on fuit l'Église,
Tant donne-t-on qu'emprunter convient,
Tant tourne vent qu'il chet en bise,
Tant crie-l'on Noël qu'il vient.

Envoi

Prince, tant vit fol qu'il s'avise,
Tant va-t-il qu'après il revient ;
Tant le mate-t-on qu'il se ravise ;
Tant crie-l'on Noël qu'il vient.

Poésies, xve siècle.

Hans Christian Andersen : Le sapin

Au milieu d'une forêt, en une belle place bien aérée éclai-
rée par le soleil, croissait un charmant petit sapin. Tout
autour de lui se trouvait une quantité de camarades plus
âgés et par conséquent plus grands que lui : des pins al-
tiers et chênes énormes.
Le plus ardent désir du petit sapin était d'égaler en hauteur ses voisins. Ce désir était tel qu'il ne faisait plus attention au brillant soleil et au ciel bleu ; les joyeux enfants du voisinage qui, en chantant et en babillant,
cueillaient des fraises et des framboises, passaient in-
aperçus devant lui. Souvent, quand ils avaient fait de
fruits ample provision, ils venaient s'asseoir auprès du
sapin en disant :
- Comme il est joli et mignon ! Ah ! le beau petit arbre.

Ces paroles, qui auraient dû lui plaire, le remplissaient de dépit.

- Petit, disait-il, toujours petit ! Chaque année, au printemps, il faisait une poussée, et l'année suivante une poussée encore. Il eut voulu en faire dix.

- Oh ! que je voudrais donc être grand, soupirait-il ; j'étendrais mes branches au loin et de la cime je dominerais le monde ! Les oiseaux construiraient leurs nids dans mon feuillage et, lorsque le vent souffle, je saurais m'incliner avec autant de majesté et de grâce que mes orgueilleux camarades.

Ces mauvaises pensées le rendaient insensible à tout ce qui aurait dû le charmer. Il ne se souciait plus ni des concerts joyeux des oiseaux qui chantaient dans la feuillée, ni des beaux nuages pourprés qui matin et soir flottaient au-dessus de lui dans l'azur des cieux. L'hiver arriva et avec lui la neige blanche et étincelante.

Souvent, un lièvre, poursuivi par les chasseurs, franchissait d'un saut le petit sapin, et cette familiarité blessait au vif son orgueil. Après deux hivers, il avait grandi assez pour que les lièvres fussent obligés de passer sous ses branches. Ce progrès était trop lent à son gré. Pousser, grandir et devenir vieux, c'est ce qu'il y a au monde de plus beau, pensait l'arbre.

En automne vinrent des bûcherons qui abattirent quelques-uns des plus grands arbres ; tous les ans, ils en firent autant. Le jeune sapin ne les voyait plus qu'avec terreur, car ces grands et magnifiques arbres tombaient avec fracas sous leurs cognées. On en coupait les branches et ils avaient alors l'air si nu et si décharné qu'on pouvait à peine les reconnaître. Puis on les chargeait sur une voiture, et les chevaux les traînaient hors de la forêt. Où allaient-ils ? Que devenaient-ils ?

Au printemps, lorsque les hirondelles et les cigognes revenaient, l'arbre de leur dire :

- Ne savez-vous pas où on les a conduits, ne les auriez-vous pas rencontrés ? Les hirondelles n'en savaient rien, mais une cigogne, réfléchissant un peu, répondit :

- Je crois le savoir ; en m'envolant de l'Égypte, j'ai rencontré plusieurs navires ornés de mâts neufs et magnifiques ; je crois que c'étaient eux : ils exhalaient une forte odeur de sapin. Comme ils étaient fiers de leur nouvelle position !

- Oh ! si j'étais assez grand pour naviguer sur la mer !

Dites-moi, comment est la mer ? A quoi ressemble-t-elle ?
- Ce serait trop long à expliquer, dit la cigogne, et elle
s'envola.
- Réjouis-toi de ta jeunesse, lui disaient les rayons du soleil. Réjouis-toi de ta beauté et de ta vie pleine de sève et
de fraîcheur.
Et le vent caressait l'arbre, et la rosée répandait ses
larmes sur lui ; mais le sapin n'y prenait point intérêt.
Vers la Noël, les bûcherons coupaient souvent de jeunes
arbres, qui n'étaient même pas aussi grands que notre
sapin. Comme les autres, ils étaient chargés sur une voiture et traînés par des chevaux hors de la forêt.
- Où vont-ils ? demanda le sapin. Il y en a qui sont plus
petits que moi ; on leur a laissé toutes leurs branches. Ou
vont-ils ?
- Nous le savons bien ! Nous le savons bien ! gazouillè-
rent les moineaux. Nous avons été en ville, et nous avons
regardé à travers les fenêtres. Ils sont arrivés au plus
haut point du bonheur et de la magnificence ; on les a
plantés au milieu d'une belle chambre bien chauffée pour
les orner de pain d'épices, de bonbons, de joujoux et de
cent lumières.
- Et puis...demanda le sapin en frémissant de toutes ses
branches ; et puis, qu'est-il arrivé ?
- C'est tout ce que nous avons vu, mais c'était bien
beau !
- Est-ce que moi aussi je serais destiné à une carrière
aussi brillante ? pensa le sapin ; cela vaudrait encore
mieux que de naviguer sur la mer. Oh ! Que le temps est
long ! Quand serons-nous à Noël, pour que je parte avec
les autres ? Je me vois déjà dans une belle chambre bien
chaude. Chargé d'ornements.
- Et ensuite...
Oui, ensuite il viendrait probablement quelque chose de
mieux encore ; sans cela, pourquoi nous parer avec tant
de luxe ? Comme je suis curieux de savoir ce qui m'arri-
verait ; je souffre d'impatience ; vraiment, je suis bien
malheureux.
- Réjouis-toi, lui disaient le ciel et les rayons du soleil ;
réjouis-toi de ta jeunesse qui fleurit au sein de la nature
paisible. Toujours inquiet, le sapin continuait à croître.
Son feuillage, devenu plus épais et d'un beau vert, atti-
rait les yeux du passant, qui ne pouvait s'empêcher de
dire : «Quel bel arbre !»
Noël arriva et il fut choisi le premier. La hache le frappa

au cœur. Après un soupir, il tomba presque évanoui. Au lieu de penser à son bonheur, il se sentit tout affligé de quitter le lieu de sa naissance. Il savait qu'il ne reverrait plus ses anciens camarades, les petits buissons, les gracieuses fleurs qui l'avaient entouré, peut-être pas même les oiseaux. Son départ le rendait tout triste. L'arbre ne revint à lui qu'au moment où, avec plusieurs autres, il fut déchargé dans une grande cour. Un homme arriva et dit en le désignant :

- Celui-ci est magnifique ; c'est ce qu'il nous faut. Vinrent ensuite deux domestiques en superbe livrée, qui portèrent le sapin dans le salon d'un grand seigneur : partout des tableaux d'un grand prix, sur la cheminée, des porcelaines de Chine ; les meubles étaient d'ébène et garnis de satin ; les tables, couvertes d'objets d'art, de livres illustrés et de magnifiques gravures.

- Il y en a pour cent fois cent écus, disaient les enfants. On planta le sapin dans une grande caisse pleine de sable ; cette caisse était revêtue d'étoffes de mille couleurs. Oh ! comme il tremblait. Que devait-il donc lui arriver ? Les enfants et les domestiques se mirent à l'orner. Ils suspendirent à ses branches des petits cornets de papier doré remplis de bonbons. Ensuite, ils y attachèrent des pommes et des noisettes argentées, toutes sortes de joujoux et plus de cent petites bougies rouges, bleues et blanches. Des poupées, qui ressemblaient à de véritables enfants, telles que l'arbre n'en avait jamais vues, se reposaient sur ses branches, et au sommet de sa couronne étincelait une étoile semblable à un diamant. Quel luxe ! quelle splendeur !

- Ce soir, s'écrièrent les enfants, comme il sera beau, tout brillant de lumières !

- Oh ! pensa l'arbre, je voudrais déjà être à ce soir, et que toutes les bougies fussent allumées ; mais qu'arrivera-t-il après ? Les autres arbres viendront-ils me regarder ? Les moineaux me verront-ils à travers la fenêtre ? Resterais-je ici, hiver et été, toujours paré ainsi ? Pauvre sapin, qu'il devinait mal ! Et cependant, ces réflexions étaient un supplice pour lui. Le soir arriva et les bougies furent allumées.

- Quelle magnificence ! L'arbre tremblait si fort qu'une bougie tombant mit le feu à l'une de ses branches.

- Aie ! Aie ! s'écria-t-il en frémissant.

- Au secours, au secours ! crièrent les enfants. Les domestiques accoururent et éteignirent le feu. Dès ce moment, l'arbre n'osa plus trembler ; il avait peur d'endommager sa parure ; il était tout étourdi de sa splendeur. Tout à coup, les portes s'ouvrirent, et une joyeuse troupe d'enfants se précipita dans le salon. Derrière eux venaient les parents. D'abord, les petits restèrent muets d'admiration à la vue de l'arbre de Noël ; mais bientôt, ils commencèrent à pousser des cris de joie, et se mirent à danser en rond autour de lui. Bientôt, le tirage des lots commença. Chacun avait son numéro ; peu à peu, l'arbre se dégarnit. A mesure qu'un numéro était appelé, il perdait un de ses joyaux, qui, de ses branches, passait aux mains émues des enfants.

- Que font-ils ? pensa l'arbre que va-t-il m'arriver ?

Cependant, tout ce qu'il avait eu de plus précieux avait peu à peu été détaché de ses branches ; les bougies aussi se consumèrent et furent éteintes, l'une après l'autre. Alors, les parents permirent le pillage des menus objets et des bonbons qui restaient. Les enfants ne se le firent pas dire deux fois. Ils se jetèrent sur le sapin avec tant d'impétuosité qu'il eût été renversé, si son étoile, qui le fixait au plafond, ne l'eût retenu. Après l'avoir complètement dépouillé, les jeunes pillards se remirent à danser et à jouer ; et personne ne fit plus attention à l'arbre, si ce n'est la vieille bonne qui vint regarder si l'on n'y avait pas laissé, par hasard, une orange ou une figue dont elle pût faire son profit.

- Une histoire ! une histoire ! s'écrièrent les enfants, et ils attirèrent vers l'arbre un bon et gai vieillard qui s'était fait le compagnon de leurs jeux malgré son âge, et qui s'assit.

- Nous sommes là sous un arbre, dit-il. Ce pauvre sapin coupé nous représente une forêt et peut-être pourra-t-il profiter de ce que je vais vous raconter. Je ne vous dirai qu'une seule histoire. Voulez-vous celle d'Ivède-Avède, ou celle de Cloumpe-Doumpe qui roula en bas d'un escalier, ce qui ne l'empêcha pas d'arriver plus tard à de grands honneurs, et d'épouser une princesse ?

- Ivède-Avède, crièrent les uns ; Cloumpe-Doumpe, dirent les autres. Et l'homme raconta l'histoire de Cloumpe-Doumpe qui roula en bas d'un escalier et épousa une princesse.

Les enfants applaudirent en criant : " Encore une ! Encore une ! "

Ils voulaient entendre aussi celle d'Ivède-Avède, mais ils furent obligés de se contenter de Cloumpe-Doumpe.

Cependant, le sapin restait muet et pensif. Jamais les oiseaux de la forêt ne lui avaient raconté rien de pareil.

- Cette histoire doit être vraie, se dit-il, car celui qui l'a racontée m'a l'air d'un bien honnête homme. Qui sait si moi aussi, je ne finirai pas par rouler en bas d'un escalier et par épouser une princesse. Demain, ils vont probablement m'orner de nouveau, me couvrir de lumières, de joujoux, d'or et de fruits ; je me redresserai fièrement et j'entendrai encore une fois l'histoire de Cloumpe-Doumpe, et peut-être celle d'Ivède-Avède par-dessus le marché. Puis il s'abandonna à ses pensées, et resta toute la nuit sombre et silencieux. Le lendemain matin, les domestiques entrèrent dans le salon.

- Ils vont me faire une nouvelle toilette, pensa l'arbre. Mais il fut traîné hors de la chambre, monté dans le grenier et jeté dans un coin obscur.

- Qu'est-ce que cela signifie? se demanda-t-il.

- Que vais-je faire ici ? Et il s'appuya contre le mur en réfléchissant.

En vérité, il avait le temps de réfléchir, car les jours et les nuits passèrent sans que personne entrât dans le grenier. Lorsqu'on y vint un jour, c'était pour chercher quelques vieilles caisses. Le sapin restait où il était ; on l'eût dit complètement oublié.

- Maintenant, nous sommes en hiver, pensa-t-il, la terre durcie est couverte de neige, il faut qu'on attende le printemps pour me planter. C'est pour cela sans doute qu'ils m'ont mis à l'abri ; les hommes sont vraiment bons, et ils savent prendre leurs précautions. Seulement, c'est dommage que ce grenier soit si triste et si abandonné : pas même un petit lièvre. C'était pourtant bien gentil, lorsque dans la forêt un petit animal venait jouer dans mon ombre, ou quand des oiseaux babillards venaient se dire leurs secrets sur mes branches. Il est vrai que dans ce temps-là, je m'en fâchais ; ah ! que j'avais donc tort. Ici, rien de tout cela, je m'ennuie horriblement !

Pip ! pip ! firent deux petites souris qui sortaient de leur trou, accompagnées bientôt d'une troisième. Elles flairèrent le sapin et se glissèrent dans ses branches.

- Quel terrible froid, dit l'une, n'est-ce pas, mon vieux sapin ?

- Je ne suis pas vieux du tout, répondit l'arbre ; il y en a de bien plus âgés que moi.

- D'où viens-tu ? Que sais-tu ? As-tu vu les plus beaux pays du monde ? Connais-tu l'office, ce bon endroit où de nombreux fromages sont couchés sur des planches, où sont suspendus tant de jambons ? Là où l'on danse sur des paquets de chandelles, où l'on entre maigre et d'où l'on sort gras ?

- Je ne connais rien de tout cela, mais je connais la forêt, où le soleil brille au milieu des arbres, et où les oiseaux chantent gaiement leur refrain.

Puis il raconta sa jeunesse, et les petites souris, qui n'avaient jamais rien entendu de semblable, s'écrièrent :

- Comme tu es heureux d'avoir vu toutes ces belles choses !

- Oui, dit le sapin, dans ce temps-là, il est vrai, j'étais assez heureux. Puis il leur raconta son aventure du soir de Noël, sans oublier la magnificence avec laquelle on l'avait orné. Les petites souris l'écoutèrent avec plaisir.

- Tu sais raconter d'une manière charmante, dirent-elles. Et la nuit suivante, elles revinrent avec quatre de leurs compagnes pour que le sapin leur répétât son histoire. L'arbre raconta de nouveau et ajouta tout bas cette réflexion :

- Oui, c'était un temps bien heureux, et il peut revenir encore. Cloumpe-Doumpe roula bien en bas de l'escalier, ce qui ne l'empêcha pas d'épouser une princesse. La nuit suivante, il eut un auditoire encore plus nombreux, et le dimanche d'après, deux gros rats se joignirent aux souris pour l'écouter.

- Vous ne savez que cette histoire ? demandèrent les rats.

- Rien que celle-là, et le soir où je l'entendis pour la première fois fut le moment le plus heureux de ma vie.

- Elle n'est pourtant pas bien intéressante. N'en auriez-vous pas une autre qui parlât de lard et de chandelle ou qui concernât l'office ?

- Non, répondit l'arbre.

- En ce cas, merci, et portez-vous bien, dirent les rats, et ils s'en retournèrent chez eux. Peu à peu, les souris disparurent aussi et l'arbre resta seul, de nouveau.

- C'était pourtant bien gentil, se dit-il, lorsque les petites souris venaient s'asseoir autour de moi pour m'entendre raconter ; maintenant, cela aussi c'est fini ! Comme je serai content, lorsqu'on me retirera de là. En effet, il fut retiré du grenier. Un matin, les domestiques arrivèrent et le descendirent dans la cour.

- Je revis enfin, pensa l'arbre, en sentant le grand air et les rayons du soleil ; et dans sa joie, il oubliait de se re-

garder lui-même. La cour aboutissait à un jardin magnifique. Les roses et le chèvrefeuille se montraient à travers le grillage, l'air était embaumé de leur doux parfum.
Sous les tilleuls, les hirondelles volaient en chantant Qui
revire vite ! mon mari est venu ! Mais en chantant ainsi,
elles ne pensaient guère au sapin.

- Je me sens revivre, disait-il toujours, en étendant ses
branches, sans s'apercevoir qu'elles étaient jaunies et
desséchées, et que lui-même se trouvait dans un coin, au
milieu des orties. Cependant, il avait conservé à son sommet l'étoile dorée, qui brillait au soleil. Dans la cour
jouaient quelques-uns des joyeux enfants qui, le soir de
Noël, avaient dansé autour de l'arbre. Le plus petit cou-
rut vers lui et arracha l'étoile.

- Regardez ce que j'ai trouvé sur ce vilain vieux sapin,
s'écriat-il en marchant sur les branches, qu'il faisait craquer sous ses pieds. L'arbre se regarda et soupira. Ah !
qu'il se trouva laid, en effet, à côté des arbres et des
fleurs qui vivaient, fleurissaient et verdissaient à
quelques pas de lui. Il eût voulu se cacher dans le coin
obscur du grenier. Il pensait à sa vivante et calme jeunesse dans la forêt, aux gloires de la Noël et aux ai-
mables visites des petites souris qui étaient venues entendre l'histoire de Cloumpe-Doumpe.

- Hélas ! hélas ! dit-il, j'ai été heureux ; j 'ai tenu le bonheur et je n'ai pas su en jouir. Tout est fini pour moi.
Bientôt vint un homme, qui coupa le sapin en petits morceaux, en fit un fagot, le porta dans la cuisine et le mit
sous la marmite. En se sentant dévoré par le feu, l'arbre
poussa, en pétillant, soupir sur soupir. Il se rappelait les
beaux jours d'été dans la forêt, les nuits d'hiver lorsque
les étoiles étincelaient au ciel ; toute sa vie passa dans sa
mémoire comme un rêve. Quelques instants après, il
n'était plus que cendres et poussière.

Cependant, les enfants jouaient toujours au jardin, et le
plus jeune avait attaché sur sa poitrine l'étoile dorée que
le sapin vaniteux avait portée pendant la soirée la plus
brillante de sa vie.

C'était là tout ce qui restait du pauvre arbre.

Jules Renard : le jour de l'an

Il neige. Pour que le jour de l'an réussisse, il faut qu'il neige.

Mme Lepic a prudemment laissé la porte de la cour verrouillée. Déjà des gamins secouent le loquet, cognent au bas, discrets d'abord, puis hostiles, à coups de sabots, et, las d'espérer, s'éloignent à reculons, les yeux encore vers la fenêtre d'où Mme Lepic les épie. Le bruit de leurs pas s'étouffe dans la neige.

Poil de Carotte saute du lit, va se débarbouiller, sans savon, dans l'auge du jardin. Elle est gelée. Il doit en casser la glace, et ce premier exercice répand par tout son corps une chaleur plus saine que celle des poêles. Mais il feint de se mouiller la figure, et, comme on le trouve toujours sale, même lorsqu'il a fait sa toilette à fond, il n'ôte que le plus gros. Dispos et frais pour la cérémonie, il se place derrière son grand frère Félix, qui se tient derrière sœur Ernestine, l'aînée. Tous trois entrent dans la cuisine. M. et Mme Lepic viennent de s'y réunir, sans en avoir l'air. Sœur Ernestine les embrasse et dit :

- Bonjour papa, bonjour maman, je vous souhaite une bonne année, une bonne santé et le paradis à la fin de vos jours.

Grand frère Félix dit la même chose, très vite, courant au bout de la phrase, et embrasse pareillement. Mais Poil de Carotte sort de sa casquette une lettre. On lit sur l'enveloppe fermée :

"A mes Chers Parents." Elle ne porte pas d'adresse. Un oiseau d'espèce rare, riche en couleurs, file d'un trait dans un coin. Poil de Carotte la tend à Mme Lepic, qui la décachette. Des fleurs écloses ornent abondamment la feuille de papier, et une telle dentelle en fait le tour que souvent la plume de Poil de Carotte est tombée dans les trous, éclaboussant le mot voisin.

Monsieur Lepic :

- Et moi, je n'ai rien !

Poil de carotte :

- C'est pour vous deux ; maman te la prêtera.

Monsieur Lepic :

- Ainsi, tu aimes mieux ta mère que moi. Alors, fouille-toi, pour voir si cette pièce de dix sous neuve est dans ta poche !

Poil de carotte :

- Patiente un peu, maman a fini.

Madame Lepic :
- Tu as du style, mais une si mauvaise écriture que je ne peux pas lire.
- Tiens papa, dit Poil de Carotte empressé, à toi, maintenant. Tandis que Poil de Carotte, se tenant droit, attend la réponse, M. Lepic lit la lettre une fois, deux fois, l'examine longuement, selon son habitude, fait «Ah ! ah ! » et la dépose sur la table. Elle ne sert plus à rien, son effet entièrement produit. Elle appartient à tout le monde. Chacun peut voir, toucher. Sœur Ernestine et grand frère Félix la prennent à leur tour et y cherchent des fautes d'orthographe. Ici Poil de Carotte a dû changer de plume, on lit mieux. Ensuite ils la lui rendent. Il la tourne et la retourne, sourit laidement, et semble demander :
- Qui en veut ?
Enfin il la resserre dans sa casquette. On distribue les étrennes. Sœur Ernestine a une poupée aussi haute qu'elle, plus haute, et grand frère Félix une boîte de soldats en plomb prêts à se battre.
- Je t'ai réservé une surprise dit Mme Lepic à Poil de Carotte.
Poil de carotte :
- Ah, oui !
Madame Lepic :
- Pourquoi cet : ah, oui ! Puisque tu la connais inutile que je te la montre.
Poil de carotte :
- Que jamais je ne voie Dieu, si je la connais.
Il lève la main en l'air, grave, sûr de lui. Mme Lepic ouvre le buffet. Poil de Carotte halète. Elle enfonce son bras jusqu'à l'épaule, et, lente, mystérieuse, ramène sur un papier jaune une pipe en sucre rouge. Poil de Carotte, sans hésitation, rayonne de joie. Il sait ce qu'il lui reste à faire. Bien vite, il veut fumer en présence de ses parents, sous les regards envieux (mais on ne peut pas tout avoir !) de grand frère Félix et de sœur Ernestine. Sa pipe de sucre rouge entre deux doigts seulement, il se cambre, incline la tête du côté gauche. Il arrondit la bouche, rentre les joues et aspire avec force et bruit. Puis, quand il a lancé jusqu'au ciel une énorme bouffée :
- Elle est bonne, dit-il, elle tire bien.

Poil de Carotte, 1894.

Victor Hugo : Cosette et la poupée

Cosette marche côte à côte dans l'ombre avec l'inconnu.
Cosette, nous l'avons dit, n'avait pas eu peur ; l'homme
lui adressa la parole. Il parlait d'une voix grave et
presque basse.
- Mon enfant, c'est bien lourd pour vous ce que vous por-
tez là. Cosette leva la tête et répondit :
- Oui, monsieur.
- Donnez, reprit l'homme, je vais vous le porter. Cosette
lâcha le seau. L'homme se mit à cheminer près d'elle.
- C'est très lourd, en effet, dit-il entre ses dents. Puis il
ajouta :
- Petite, quel âge as-tu ?
- Huit ans, monsieur.
- Et viens-tu de loin comme cela ?
- De la source qui est dans le bois.
- Et est-ce loin où tu vas ?
- A un bon quart d'heure d'ici.
L'homme resta un moment sans parler, puis il dit brus-
quement :
- Tu n'as donc pas de mère ?
- Je ne sais pas, répondit l'enfant. Avant que l'homme
eût eu le temps de reprendre la parole, elle ajouta : je ne
crois pas. Les autres en ont. Moi, je n'en ai pas.
Et après un silence, elle reprit :
- Je crois que je n'en ai jamais eu.
L'homme s'arrêta, il posa le seau à terre, se pencha et
mit ses deux mains sur les deux épaules de l'enfant, fai-
sant effort pour la regarder et voir son visage dans l'obs-
curité.
La figure maigre et chétive de Cosette se dessinait va-
guement à la lueur livide du ciel.
- Comment t'appelles-tu ? dit l'homme.
- Cosette.
L'homme eut comme une secousse électrique. Il la re-
garda encore, puis il ôta ses mains de dessus les épaules
de Cosette, saisit le seau et se remit à marcher.
Au bout d'un instant, il demanda :
- Petite, où demeures-tu ?
- A Montfermeil, si vous connaissez.
- C'est là que nous allons ?
- Oui, monsieur.
Il fit encore une pause, puis il recommença :

- Qui est-ce donc qui t'a envoyée à cette heure chercher de l'eau dans le bois ?
- C'est madame Thénardier.

L'homme repartit d'un ton de voix qu'il voulait s'efforcer de rendre indifférent, mais où il y avait pourtant un tremblement singulier :
- Qu'est-ce qu'elle fait, ta madame Thénardier ?
- C'est ma bourgeoise, dit l'enfant. Elle tient l'auberge.
- L'auberge ? dit l'homme. Eh bien, je vais aller y loger cette nuit. Conduis-moi.
- Nous y allons, dit l'enfant.

L'homme marchait assez vite. Cosette le suivait sans peine. Elle ne sentait plus la fatigue. De temps en temps, elle levait les yeux vers cet homme avec une sorte de tranquillité et d'abandon inexprimable. Jamais on ne lui avait appris à se tourner vers la Providence et à prier. Cependant elle sentait en elle quelque chose qui ressemblait à de l'espérance et à de la joie et qui s'en allait vers le ciel. Quelques minutes s'écoulèrent. L'homme reprit :
- Est-ce qu'il n'y a pas de servante chez madame Thénardier ?
- Non, monsieur.
- Est-ce que tu es seule ?
- Oui, monsieur.

Il y eut encore une interruption. Cosette éleva la voix :
- C'est-à-dire il y a deux petites filles.
- Quelles petites filles ?
- Ponine et Zelma.

L'enfant simplifiait de la sorte les noms romanesques chers à la Thénardier.
- Qu'est-ce que c'est que Ponine et Zelma ?
- Ce sont les demoiselles de madame Thénardier, comme qui dirait ses filles.
- Et que font-elles, celles-là ?
- Oh ! dit l'enfant, elles ont de belles poupées, des choses où il y a de l'or, tout plein d'affaires. Elles jouent, elles s'amusent.
- Toute la journée ?
- Oui, monsieur.
- Et toi ?
- Moi, je travaille.
- Toute la journée ?

L'enfant leva ses grands yeux où il y avait une larme, qu'on ne voyait pas à cause de la nuit, et répondit doucement :

- Oui, monsieur.

Elle poursuivit après un intervalle de silence :

- Des fois, quand j'ai fini l'ouvrage et qu'on veut bien, je m'amuse aussi.

- Comment t'amuses-tu ?

- Comme je peux. On me laisse. Mais je n'ai pas beaucoup de joujoux. Ponine et Zelma ne veulent pas que je joue avec leurs poupées. Je n'ai qu'un petit sabre en plomb, pas plus long que ça. L'enfant montrait son petit doigt.

- Et qui ne coupe pas ?

- Si monsieur, dit l'enfant, ça coupe la salade et les têtes de mouches.

Ils atteignirent le village ; Cosette guida l'étranger dans les rues. Ils passèrent devant la boulangerie, mais Cosette ne songea pas au pain qu'elle devait rapporter. L'homme avait cessé de lui faire des questions et gardait maintenant un silence morne. Quand ils eurent laissé l'église derrière eux, l'homme, voyant toutes ces boutiques en plein vent, demanda à Cosette:

- C'est donc la foire, ici ?

- Non, monsieur, c'est Noël.

Comme ils approchaient de l'auberge, Cosette lui toucha le bras timidement :

- Monsieur...

- Quoi, mon enfant.

- Nous voilà tout près de la maison.

- Eh bien ?

- Voulez-vous me laisser reprendre le seau à présent ?

- Pourquoi ?

- C'est que , si madame voit qu'on me l'a porté, elle me battra. L'homme lui remit le seau. Un instant après ils étaient à la porte de la gargote.

Les Misérables, 1862.

Epilogue
ou Réussir Noël
en cinq
pages

Ce bref résumé de nombreuses astuces développées dans les pages de ce guide vous permettra de rapidement faire le point de la situation pour ne rien oublier. De plus vous trouverez des conseils "santé", ils nous semblaient indispensables pour vous aider à bien passer ces fêtes de Noël qui réclament tant de résistance à notre appareil digestif !
Pour que tout aille mieux, quelques conseils faciles à exploiter

La préparation

- Dormez plus que d'habitude la nuit précédente.
- Faites-vous plaisir en prenant le temps de faire plaisir.
- C'est un jour exceptionnel, soyez inventif (ve) faites toutes les choses de manière exceptionnelle (décoration, éclairage, recette...)
- Donnez plus votre temps que votre argent .
- Prenez aussi du temps pour vous préparer, vous sentir en beauté, vous sentir bien et détendu(e).
- Achetez les cadeaux et le matériel de décoration début décembre avant que cela soit un enfer dans les magasins.

• Préparez le plus de choses possibles à l'avance (plusieurs recettes que nous vous donnons peuvent se faire de 1 semaine à
un jour à l'avance).
• Choisissez au moins une recette, si possible davantage, qui se
prépare avant le jour "J".
• N'oubliez pas de commander les denrées rares à l'avance chez
votre boucher, chez votre poissonnier.
• Ne faites pas tout, tout(e) seul(e).
• Chacun aura du plaisir à mettre la main à la pâte, à se sentir
responsable, de réussir au moins une chose, en avoir le mérite et
les compliments.
• Ne pensez jamais c'est difficile, mais c'est drôle.
• Souriez, souriez.
• Si possible essayez avant, avec de plus petites quantités, les
recettes difficiles à réussir du premier coup.
La peur de rater risque de faire rater.
• Vérifiez si vous avez bien tous les ingrédients nécessaires avant
de commencer.
• Vérifiez si vous avez suffisamment de glaçons.
• Organisez bien la cuisine pour que plusieurs personnes puissent y travailler ensemble sans se gêner.
• Tous les plats que vous allez choisir seront améliorés si vous
utilisez des produits frais de bonne qualité. Par exemple, toutes
les recettes aux marrons sont vraiment meilleures si vous vous
donnez le temps de faire bouillir des marrons frais et de les éplucher, plutôt que d'ouvrir une boîte.
• Un homard vivant ne sera pas caoutchouteux comme peuvent
l'être ceux que l'on décongèle ; mais du homard congelé c'est
mieux que pas de homard.
• N'oubliez pas plusieurs sortes de pain, des pains spéciaux rendent la table plus raffinée. Coupez de petites quantités à l'avance
de manière à ce qu'il ne sèche pas.
• N'oubliez pas qu'une salade composée de plusieurs sortes de
salades a tout de suite une allure de fête ; de même l'utilisation
d'une huile inhabituelle pour l'assaisonnement telle que : noix,
olive, sésame etc.

Le jour "J"

• Prenez le temps d'accueillir chacun de vos invités. On ne le
redira jamais assez : l'accueil est vraiment très important, il donne
le ton et sa place à chacun.

• Sachez détendre l'atmosphère en racontant des histoires ou des anecdotes, en faisant de l'humour (mais pas toutes vos petites difficultés pour faire votre réception).

• Soyez charitable, aidez ceux qui se taisent à parler en leur posant des questions sur eux.

• Ecoutez ceux qui parlent même si vous connaissez l'histoire du grand-père ou si un des enfants parle lentement, avec difficulté.

• Soyez attentifs à ce que disent les autres (faites en sorte que la discussion ne soit pas trop cacophonique).

• Evitez les discussions à problème ce n'est pas le jour pour régler les comptes.

• N'oubliez pas de trouver une idée ou plusieurs pour renouer la tradition de la part du pauvre.

• Raccompagnez vos invités qui n'habitent pas loin, ce sera bon pour vous et agréable pour eux.

• Si vous invitez des fumeurs, aérez souvent, trop de fumée pique les yeux et donne mal à la tête. Prévoyez un cendrier par personne.

• Pensez aux bougies anti-tabac !

Pour tenir le choc !

Malheureusement, les saveurs les plus délicates ne sont pas toujours le fruit des plats les plus légers et la nuit ou le jour de Noël, notre appareil digestif est tellement sollicité qu'il lui arrive de dire STOP ! Ainsi, les pires ennuis guettent les fans de chocolats, de crèmes et de sauces lourdes. Comme si cela ne suffisait pas, bien souvent, par souci d'accommoder au mieux les mets avec les vins, les mélanges les plus détonants sont commis et la catastrophe est frôlée ou provoquée. Qui n'a pas connu au moins une bénigne crise de foie durant cette période où nous consommons toujours une denrée ou l'autre en surabondance ?

A ce propos, savez-vous que la crise de foie est typiquement française ? C'est une expression qui ne se traduit pas vraiment et qui s'applique en fait à une gastrite.

Alors qu'est-ce qu'une gastrite ?

C'est une inflammation aiguë de la muqueuse de l'estomac. Au moment des fêtes de Noël, elle est en général due à l'excès de graisse et d'alcool. En effet, l'estomac, surchargé, ralentit sa fonction et se trouve donc soumis plus longuement à l'acidité des produits consommés. N'importe quel médecin interrogé à ce propos vous recommandera la prudence du sage ; reste à savoir si vous pensez qu'une tranche de foie gras supplémentaire, deux ou trois

verres de vin blanc et rouge en plus, une fine, et tutti quanti !...
valent bien une gastrite ! Vous pouvez encore, sur un ton plus
"orgiaque", aller vous faire vomir dans les toilettes. C'est ce que
faisaient les anciens.
Quoiqu'il en soit et surtout si vous n'en avez pas l'habitude, il
faut vous dire que votre corps n'appréciera pas cette surcharge
de travail - car ce n'est que ça, nous l'avons vu. S'il n'existe pas
de remède miracle - les américains le promettent toutefois pour
bientôt sous la forme de pilules, le détoxaol qui fait chuter plus
vite l'alcoolémie - il est possible de limiter les dégâts en prenant quelques précautions que voici.

Avant le repas...

Ne fatiguez pas votre foie les jours précédents, beurre, huile,
graisse animales cuites, sauces lourdes, œufs etc. sont à éviter la
veille du 24 (également après les jours qui suivront le fameux
repas du 25 décembre).
Vous pouvez faire une cure du fumeterre, demandez-en à votre
pharmacien. C'est une plante aux propriétés dépuratives ; elle
agit comme un vasoconstricteur et nettoie la vésicule biliaire,
"comme neuve" elle sera plus efficace dans la lutte.
Prenez une cuillerée d'huile d'olive pour tapisser votre estomac
et en accroître les capacités digestives ou bien demandez à votre
pharmacien un conseil pour acheter un médicament préventif,
comme un pansement, et un médicament pour l'après repas que
vous pourrez également proposer à vos convives.
Si vous n'avez rien mangé, l'alcool passera dans le sang dans les
quinze ou trente minutes suivant l'absorption. Vous mesurez donc
les dangers d'un apéritif trop long, sans petits fours et autres
éponges salvatrices. En revanche, si vous consommez des corps
gras, vous pouvez espérer ralentir au moins deux fois la vitesse
de pénétration de l'alcool dans le sang. C'est pourquoi la cuillerée d'huile peut être si utile.

Pendant le repas...

Rappelez-vous, l'alcool saoule d'autant plus vite qu'il est rapidement absorbé. Il y a une raison à cela, l'enzyme qui sert à l'évacuer n'a pas le temps d'agir assez vite. C'est pourquoi il convient
de boire lentement. Aussi, comme vous ne devez pas boire sans

manger, organisez le repas de manière à laisser passer du temps entre les plats, mais surtout n'arrosez pas ces poses. Autorisez les enfants à quitter leur place et à s'amuser.
Il faut savoir que l'alcool facilite l'élimination de l'eau par les reins. Une consommation excessive d'alcool peut donc entraîner une déshydratation. Commencez le repas (ou l'apéritif) par un verre d'eau. Et buvez au moins un verre d'eau après chaque verre d'alcool (diluez dans votre estomac et non dans votre verre). Evitez de mélanger plusieurs sortes d'alcool et de vin. (dans la mesure du possible un jour comme celui là !...)
La pause du sorbet entre les plats, en dehors du plaisir qu'elle peut procurer, permet aux graisses absorbées de se solidifier à nouveau, ce qui facilite leur élimination. Si vous sentez que vous êtes en train de vous griser, arrêtez de boire de l'alcool immédiatement, allez prendre l'air, respirez très profondément, buvez beaucoup d'eau minérale, mangez en mâchant bien (il faut boire ce que l'on mange, manger ce que l'on boit) pendant le temps nécessaire pour que cette sensation s'efface.

Après le repas...

Prenez et offrez une boisson bien chaude de type verveine, menthe ou camomille ou à base de ginseng celui-ci favorise l'élimination de l'alcool. Sachez qu'il existe aussi des bonbons à forte teneur en verveine ou menthe. Proposez du gingembre confit, il atténue les effets de nausées.
Si vous avez trop mangé n'attendez pas, prenez tout de suite un médicament pour faciliter la digestion.
Un peu d'exercice, un peu d'air et de marche vous feront du bien ; allez faire une bataille de boules de neige, allez chercher du bois pour la cheminée, allez regarder les étoiles, allez faire courir le chien.
Bien que ce soit sans doute la dernière des boissons à recommander pour une telle fête, buvez du Coca-Cola dont vous aurez évacué les gaz en secouant la bouteille et en ouvrant avec précaution au-dessus d'un évier.
Vous pouvez aussi prendre de la Bétaïne, du Sorbitol, adressez-vous à votre pharmacien.
Les nouvelles lois étant particulièrement sévères pour des raisons fondées, pensez à avoir à disposition quelques alcootests.
Si le taux d'alcoolémie vérifié dépasse 0,5 g,vous prendrez beaucoup de risques pour votre sécurité comme celle des autres en prenant le volant et vous serez en infraction. Si vous êtes trop

loin du compte, le plus sage est de ne pas conduire. Si vous n'êtes pas trop loin de 0,5 g, vous pouvez encore recourir à quelques astuces, mais n'oubliez pas qu'il faut 15 à 30 minutes pour que l'alcool pénètre dans le sang, pensez donc à ce que vous venez de boire dont le test ne peut avoir tenu compte. La vitamine C peut vous aider à évacuer l'alcool contenu dans le sang. Mais, attention elle vous empêchera aussi de dormir, si vous essayez prenez au moins 1000 mg, si vous ne souhaitez pas dormir de la nuit vous pouvez même en prendre plus. Là encore toutefois, la prudence est requise car en prenant trop de vitamine C, vous pouvez surcharger vos reins. Evitez aussi le paracétamol qui est difficile à éliminer, or dans un premier temps ce n'est pas le mal de tête qu'il faut soigner, mais sa cause.

L'aspirine est à bannir, contrairement à une idée fausse, elle augmenterait de 10 à 20 % votre alcoolémie.

N'hésitez pas à donner l'hospitalité, (même d'une manière qui vous paraît inconfortable), aux personnes qui doivent prendre une voiture pour rentrer chez eux après avoir bien bu et bien mangé.

Les fêtes de Noël réussies sont aussi celles qui se terminent bien.

Un dernier mot...

Vous avez découvert dans ce guide bien des manières de donner à votre fête de Noël l'ampleur d'une vraie grande fête avec un décor aussi merveilleux, joyeux et chaleureux que possible ! N'oubliez pas de mettre votre imagination à l'œuvre, vous adapterez ainsi, au mieux, les idées de ce livre à la décoration de votre foyer. Une fois le décor en place, pensez aussi à mettre en scène la fête ! A vous de créer, de faire rêver, de rire et de plaisanter, à vous de faire la fête !

ET LE NOUVEL AN...
Autrefois, le début de l'année se situait en mars. Il n'a été fixé au 1er janvier qu'au cours du règne de Charles IX. Toutefois, la véritable tradition du réveillon de la saint Sylvestre ne semble guère remonter avant la fin du 19ème siècle. Cette fête du Nouvel An est le pendant laïque de celle de Noël. Le 25 décembre est la fête du nouveau né, du divin incarné, religieuse par excellence, c'est la fête des enfants célébrée dans l'intimité de la famille qui s'ouvre peu, à cette occasion, au monde extérieur. En revanche, la fête du 1er de l'an célèbre la nouvelle année dans l'échange de vœux ; on souhaite aux proches nouveau bonheur, succès et bonne santé. C'est la fête des adultes qui se réunissent beaucoup plus volontiers entre amis.
Parmi les astuces proposées dans ce guide, beaucoup sont tout à fait exploitables pour ce thème. C'est le cas du chapitre consacrés au décor des plats et à celui de la table. Evidemment, vous supprimerez les bonhommes de neige, père Noël et sapins. Vous les remplacerez par des motifs au sens plus général comme les symboles de cartes à jouer, cœur, pique, trèfle, carreau, joker... vous ajouterez à votre panoplie : cotillons, chapeaux fantaisistes et confettis. Vous préférerez les bouquets de couleurs éclatantes évoquant les promesses du prochain printemps aux harmonies de rouge et vert. Vous ferez aussi beaucoup plus de place à la musique.

Joyeux Noël et... Bonne année !

Idées check-list

POUR VOTRE PLAN DE TABLE

INVITES	GOUTS, AFFINITE, ETC.	AUTRES
Ex. : Paul	N'aime pas le vin blanc	Voulait une radio

POUR L'ACHAT DE VOS CADEAUX

DESTINE A	IDEES CADEAUX	LIEU D'ACHAT
Ex. : Marc	Livre d'art	*"Plaisir de lire"*

Bibliographie sélective

Kaufman, *Le Grand Livre du Champagne*, Editions Minerva Genève,1974

Yvonne de Sike, *Fêtes et croyances populaires en Europe*, Editions Bordas/culture, 1994.

Benoit F., Clas Jouve H. *La Bourgogne insolite et gourmande*, Editions Solar

Blond G., *Festin de tous les temps : histoire pittoresque de notre alimentation*, Fayard 1976.

Bodson A. M. - Enginer V., *Décors de Noël et de Nouvel An*, Editions Sénevé Jeunesse

Brown D., *La Cuisine scandinave* Time Life International 1974.

Crétin N. - Thibault D., *Le livre des fêtes*, Découverte Cadet, Gallimard.

De Benoist A., *Fêter Noël*, Editions Atlas, 1982.

Dumas A., *Le Grand Dictionnaire de cuisine*, Cercle du livre précieux.

Isambert F. A., *Du religieux au merveilleux dans la fête de Noël* in Archives de sociologie des religions XXV (janvier 1968)

Ismaïl Kadaré, *Une anthologie des plus beaux textes de la littérature mondiale*, Editions L'Archipel

Je fabrique des cadeaux, Editions Fleurus idées - Collection Atelier

Laurentin R., *Les Évangiles de l'enfance du Christ*, Editions Desclée de Brouwer, 1982.

Lebrun F., *Le livre de Noël*, Editions Robert Laffont 1983

Lepagnol C., *Biographies du Père Noël*, Hachette, 1979.

Major S., *Préparez vos fêtes*, Editions Fleurus Idées

Merlin A., *Les Mangeurs de Rouergue*, Editions Duculot, 1978.

Michel Tournier, *Une anthologie des plus beaux textes de la littérature française*, Editions L'Archipel

Moulin L., *L'Europe à table Elsevier,* Editions Sequoia, 1975

Moulin L., *Les liturgies de la table : une histoire culturelle du manger et du boire*, Editions Albin Michel, 1989

Onfray M., *La raison gourmande*, Editions Grasset, 1995.

Paquets cadeaux, Editions Fleurus

Plein d'idées pour les fêtes, Editions Fleurus Idées.

Poulaille H., *La grande et belle Bible des Noëls anciens*, Editions Albin Michel 1942

Réau L., *Iconographie de l'art chrétien*, Tome second, P.U.F.1957.

Robson D. - Delcoigne C., *Collection jours de pluie*, Editions Héritage, Gama jeunesse.

Toussaint-Samat M. , *Histoire naturelle & morale de la nourriture*, Editions Bordas, 1987

Unicef, *Le Grand livre de Noël*, Contes et Légendes

Vaulrier R., *Les Fêtes populaires à Paris*, Editions du Myrte Paris

Vloberg M., *Les Noëls de France*, Editions Arthaud, 1934.

Catalogue de l'exposition "Crèches et traditions de Noël", Musée des arts et traditions populaires, RMN 1987

Les Grands Dossiers de L'Illustration, Noël (histoire d'un siècle).

Magasine Record, décembre 1970 - mensuel - n°108 "Noël paix à tous les hommes".

Les cahiers du haut marnais n°10 Noël 1947 pp. 406-419
ibid n°54-55 3ème et 4ème trimestre 1958 pp. 130-133

Dossier "Noël" de la bibliothèque du musée des arts et traditions populaires

Index

189

Imprimé en France. - JOUVE, 18, rue Saint-Denis, 75001 PARIS
N° 230016V. - Dépôt légal : Octobre 1995